狩猟と編み籠

対称性人類学 II

中沢 新一

Die Jagd und ein gewebter Korb

Symmetrische Anthropologie II

講談社

狩猟と編み籠　対称性人類学Ⅱ　目次

プロローグ

狩猟と編み籠

この本はそもそものなりたちからして、『対称性人類学』の続編をなすような性格をもっている。この本は二〇〇六年の九月に、中央大学の夏季集中講義としておこなわれた四日間にわたる「比較宗教論」の講義にもとづいている。講義がおこなわれたのは、「カイエ・ソバージュ」全五巻に結晶することになった一連の講義がおこなわれたのと同じ教室であったし、聴講者のなかにはなじみの顔ぶれをたくさん見ることもできた。あつかわれた主題や方法にも以前から続けられてきた講義とのつながりがあきらかで、うちとけた雰囲気のなかでおこなわれたこの講義には、はじめから対称性人類学の展開という意味合いが、濃厚にこめられていた。

対称性人類学という考えを通じて、私は新しい人間科学をつくりだそうと試みてきたのだった。現生人類の「心」は、対称性の論理で動く高次元な知性と、言語的なロゴスによって作動する非対称性知性との複合論理（バイロジック）として、複雑で高度な働きをおこなっている。このうちの対称性の論理で動く知性は、もちろんそれを実体として取り出すことなどはできないが、その働きを神話や芸術や統合失調症の思考などをとおして観察して見ると、それがきわめて特殊なトポロジーをもっていることが予想される。そこでは全体と部分の働きが一体で、無限が有限の平面に組み込まれており、内部と外部がひとつながりになって、全体にわたって複雑な「ねじれ」の運動をおこなっているらしい。

人類の「心」のなかに、このような対称性の知性が自由に活動をはじめることができたのは、現生人類の脳のニューロン・ネットワークに飛躍的な進化がおこり、そこを原初的な対称性の知性が流動できるようになったからである。あるいはむしろ、人類の「心」のなかに潜在し続けていた対称性の知性が、脳にそのような進化を促した、と考えることもできるだろう。そのおかげで、わたしたち現生人類は、複雑な表現をやすやすとこなす言語をもち、美と崇高をめざす宗教と芸術の活動をおこない、「見えざる手」に導かれた経済システムをつくりだしてきた。

私はこのような対称性の知性を「心」の働きのもっとも原初的な「素型《スキーム》」として、人類の「心」が生み出してきたあらゆる活動を再編成しなおす、新しい人間科学をつくりだせないだろうか、と考えた。そしてそのような企てに、「対称性人類学」という名前をあたえたのだった。このような構想が浮かんできたのは、「カイエ・ソバージュ」となった一連の講義をおこなってきた、この教室においてだった。思い出深いその教室でおこなわれた集中講義で、私は自分の企てにいっそうの広がりをあたえたいと思った。そこで思いつかれた主題が、映画だったのである。

そんな思いつきをしたのには、一月ほど前にジル・ドゥルーズの『シネマ』を丁寧に読み直してみた体験が、影響をあたえていたかもしれない。その本のなかでドゥルーズは、映画が複数の異種の論理（心的プロセス）が混成したまま連結しあって、動的な組織体をつくっている様子を、みごとに描き出してみせた。私にとって少なからず驚きだったのは、そのありさまが、対称性人類学の試みのなかでしめされてきた「心」の構造と、あまりにもよく似ていたことである。『シネマ』に深く動かされた私は、その映画論を認知考古学の領域にまで拡大してみたらどうなるだろう、と想像した。そしてその想像を、対称性人類学の企てのほうにつなげてみようと考えた。

「比較宗教論」というのが講義の名称であったから、タイトルは「映画としての宗教」となった。このタイトルには、なつかしい思い出がからみついている。大学で宗教学を学んでいた頃、おそろしくセンスのいい教授が私をつかまえて、冗談まじりにこう問いかけた。「君はどういうのを宗教映画だと思う?」。どぎまぎした私が『十戒』やら『釈迦』やらをあげると、教授はせせら笑いながら、「宗教の神話を描いたものが、宗教映画だなんて、君にはなんにもわかってないなあ。どんな映画も多かれ少なかれ宗教の構造をもっている。とくにこの映画はね」と言って、私に『タワーリング・インフェルノ』の優待券を手渡してくれたのだった。

それ以来、映画と宗教の間に存在するらしい親密な関係が、私の念頭を去らなかった。映画が宗教とよく似た構造をもっているのか、それとも宗教からイデオロギーの外皮を取り去ってみれば、あとには映画的骨格があらわになってくるのかはわからないが、いずれにしても両者の間には、けっして偶然でないパラレリズム(並行関係)またはイソモルフィズム(準同型性)が存在している。そのことはあからさまな宗教映画の場合よりも、むしろ宗教とは関わりのなさそうな「世俗映画」の場合にいちじるしい、ということを、私は映画を見るたびに感じるようになった。どうやら、あのとき教授の言ったことは、ほんとうのことであるらしい。

それにしても宗教と映画の歴史を較べてみれば、どう考えても映画が宗教の構造を利用しているとしか思えないのだけれど、より古い時代の宗教、特に旧石器時代の宗教をめぐる考古学的研究を調べていると、そこにまぎれもない映画的構造が存在していることを、認めざるをえなくなる。つまり、原初の宗教のほうが、まだ存在もしていなかった映画の構造を利用して、自分の目的を達しようとしたように思えるのだ。

これが、対称性人類学の問題意識と映画の構造と諸宗教の実践とが、たがいに密接に結びついていく「脺点《すいてん》」である。わたしたちは旧石器宗教のなかに、自分の脳のなかに開かれた新しい現生人類としての「心」のもつ驚くべき性質に魅了されていた、古代の人々の興奮を感じ取る。彼らは、自分の「心」の内部にあらわになった対称性の知性のしめす霊妙なふるまいや驚くべき能力に、圧倒され、夢中になっていたのではないか。それとよく似た驚きや魅力を、映画はわたしたちにあたえてきた。フランソワ・トリュフォーが書いている。

奇怪なシーンをごくあたりまえに、異常なシーンをごく日常的に、未来幻想を過去の出来事のように、語ることであった。その結果が狂気の人間によって撮られた正常な映画という印象をあたえるか、それとも正常な人間によって撮られた狂気の映画という印象をあたえるか、それはまだわからない。(『ある映画の物語』山田宏一訳、草思社)

映画はわたしたちの「心」の野生を開く能力をもっている。その秘密をなんとかして探り出してみたい、というのがこの講義での私の野心だった。

おそらく映画史のなかで、こういう問題にいちはやく着目し、それに鋭い洞察をあたえたのは、セルゲイ・エイゼンシュテインであろうと思う。彼は未来に開かれていた映画芸術の可能性を、中国やインドや日本やアメリカ先住民などの芸術伝統とのつながりのなかで思考しようとしていたが、さらにはそれを超えて、映画のモンタージュ技術の本質を、旧石器の人類の狩猟と編み籠の伝統にまでさかのぼらせている。

映画はショットの積み重ね《モンタージュ》によって構成されるが、そのモンタージュがすぐれた音楽に見られるような、生き生きとした対位法を実現できているときに限って、映画は高次元の空間に生きる不思議な生物のような魅力をもって、私たちの魂を鷲づかみにできる。エイゼンシュテインは、音楽と映画に生命を吹き込むこの対位法的構造の起源はとてつもなく古いもので、それは旧石器の人々の間で、最初に開花した人間的能力にほかならないと考えた。

対位法的構造の魅力(吸引力・作用力)は、それらの構造が、いうなれば、私たちの内部に奥深く組み込まれた狩猟及び編み籠の本能を生き生きと蘇生させるからだし、それらの本能そのものに作用することによって、精神の深層まで深く魅了するからである。……一方の本能は、個々のモチーフから編み上げられる統一的全体の編み物のもつ魅力の原因であり源泉である。もう一方の本能は、統一的全体に編み上げられる声部群の密林のなかを通り抜けて個々のモチーフの線を追跡する狩猟の魅力の原因であり源泉である。

（セルゲイ・エイゼンシュテイン「無関心な自然でなく」〔『エイゼンシュテイン全集（第九巻）』エイゼンシュテイン全集刊行委員会訳、キネマ旬報社、一九九三年〕）


エイゼンシュテインにとって、映画は生命とその本能を生き生きと蘇らせる力をもつものでなければならなかった。その当時、映画はまだ生まれたばかりの芸術形式だったが、そのなかに彼はホモサピエンスの「心」の素型から直接生み出される、野生の芸術としての可能性を見いだそうとしていた。エイゼンシュテインは人類の「心」が、数万年もの間少しも変わることのない素型と本質を保ち続けていることを、固く信じて疑わなかった。そして、その「心」の素型を生き生きと蘇らせることこそ、芸術の使命であると考えたのである。

そこで私は、ここで展開される対称性人類学の試みを象徴することばとして、「狩猟と編み籠」をこの本のタイトルとすることにした。二十世紀に誕生した新しい芸術形式である映画は、このことばによって、生まれたばかりの人類の「心」の本質に、いっきに結びつけられていくことになる。わたしたちの「心」は、まだ、生まれたばかりのときのみずみずしさを内に秘めている。

第一章

映画と一神教

――セシル・B・デミル『十戒』

1　イメージの興亡史

これから数回にわたって「映画としての宗教」という話をします。「宗教とは何か」を大きな主題にかかげてこれまで続けられてきた、この入門的な講義シリーズ（「比較宗教論」がそのタイトル）で、今年は宗教というものを「イメージの運動とその構造」という視点からとらえてみようと思うのです。

イメージの問題は、宗教にとってきわめて大きな主題をなしていて、人類の宗教史全体を、まるでイメージの興亡史としてとらえることさえできそうです。旧石器時代の人々が洞窟の奥に残したあの驚異的な壁画を見るだけでも、宗教と芸術の発生の現場で、決定的な働きをしていたのがイメージの力であったことがわかります。

オーストラリアの先住民の先祖が岩に描いた精霊のすがた、新石器時代の開始を告げる牝牛の神像の出現、そこから発達していった奇っ怪なメソポタミアやエジプトの神々の像、縄文土器の表面に残された霊的な動物たちをあらわす文様。こうしたものを前にすると、宗教をイメージの問題抜きで語ることなど不可能であることを、思い知らされます。

この講義で私は、そのようなイメージの興亡として理解できる宗教というものが、じつは映画とそっくりのなりたちをしていることを、あきらかにしてみようと思います。もっと正確に言うと、あらゆる宗教現象の土台をなしている人類の心の構造というものが、今日私たちが楽しんでいる映画というものをつくりあげている構造と、そっくりだという事実を、あきらかにしてみたいのです。宗教は少なく見積もっても数万年の歴史をもち、それにたいして映画はまだ百年くらいの歴史しかもっていません。それでも、この二つはあまりにもよく似ているのです。

つぎの写真をごらんいただくと、映画と宗教との内面的な結びつきという私たちがかかげようとしているテーマが、けっして突飛な思いつきなどでないことが、ご理解いただけるでしょう。

杉本博司
Metropolitan L.A, Los Angels, 1993
©Hiroshi Sugimoto Courtesy of Gallery Koyanagi

上の写真は映画産業華やかなりし頃のアメリカの諸都市につくられた、映画館の内部を撮影したものです。まるで洞窟のようだ、とは思いませんか。その当時人々はまるでオペラハウスにでも出かけていくような気持ちで、映画館に出かけていったそうです。そもそもオペラハウスというもの自体が、洞窟の内部を模した構造としてつくられたものであり、そこでオルフェウスの地獄降《くだ》りなどの、神話を素材にしたオペラが演じられていたようで、古代的なかたちの宗教儀礼とのつながりがありました。映画館はその構造を、そっくり受け継いだようです。

映画館の中に入り、柔らかいシートにからだを沈めて、場内が暗くなるのを、いまかいまかと人々は待ち受けました。ようやく場内が真っ暗になります。観客は目の前にボーッと浮かび上がっている白いスクリーン上に、イメージが躍り出すのを待ち受けました。そしてスクリーン上に動くイメージがあらわれでたとき、観客の心は不思議な喜びに充たされるのです。たしかに、このような映画上映の場の構造は、宗教現象のはじまりのときを、思い起こさせます。

はじまりの宗教は、旧石器時代の洞窟でおこりました。そのとき、家族の生活がおこなわれてきた共同体を離れて、男女の性によって二つに分離された集団が、それぞれ秘密の場所に集まり、特殊な結社（組合）をつくって儀式をおこないました。男の結社は洞窟に集まり、そこで生命の増殖のための儀礼をおこないました。

真っ暗な洞窟の中に入り込み、長時間まったく光の射さない状態に居続けますと、視神経が自己励起をおこして、眼の内部から光の微粒子がふんだんにあふれ出す現象（これは生理学者によって「内部光学entoptic」と呼ばれています）がはじまり、さまざまなかたちをした光の抽象的イメージがあらわれるようになりますが、旧石器時代の人々は、その抽象的な光のイメージをとおして、宇宙の奥底を流れる力の実在を認識して、それを霊の領域として理解したようです。これをイメージ第一群と呼ぶことにします。

動物や人の生命が増殖していくことを祈る別のタイプの儀礼では、じっさいに洞窟の壁面に動物の姿を具象的なイメージとして描くことがおこなわれました。この動物の具象的イメージには、二つの群が存在しており、第二群では、洞窟の壁面から放出されてくる目に見えない宇宙的な霊力が、壁面で動物のイメージに転換されることじたいに、重大な意味があたえられていた様子ですが、その上の第三群になると、イメージ相互のあいだに物語的つながりがつくりだされ、一連の意味のある象徴的な物語として解読されるようになります。芸術の発生を伝えると言われてきたのは、おもにこの第二・第三群として描かれた、すばらしい動物の具象的表現のことをさしています。

＊

考古学者たちは、このようにして旧石器時代（十万年以上前。後期旧石器時代は約三万五千年前～一万二千年前）の洞窟の壁に描かれたイメージ群を分析して、そこにつぎのような三つのグループないしは層が存在していることをあきらかにしてきました。

①抽象的イメージ群

これは内部光学の現象とかかわりをもつ、抽象的な光の軌跡をとらえたイメージをあらわしていて、精霊のうちでももっとも原初的な層に属しています。心の構造でいうと、ホモサピエンスの脳におこった革命的な変化から生まれた流動的知性（認知的流動性）に、直接的に結びついている。

②動物や人を具象的に描いたイメージ群

見えない霊力が物質的に触れて転換をおこすときに、このイメージ群が発生します。このタイプのイメージでは、なにかが生起してくる過程というのが大きな意味をもちますから、意味発生をあらわす垂直的な運動が主体となっています。

③具象的イメージを結合して物語性をあたえられたイメージ群

垂直的な意味発生のプロセスによってあらわれてきたイメージを、いわば水平的に結びつけて、ヒトにとってなにか大きな意味をもつ物語をつむぎだそうとしているのが、この層に属するイメージ群です。最初はまったく唯物論的なレベルに生まれたイメージ（内部光学としてあらわれてくる光のイメージは、まったくヒト的な意味の世界を抜け出した、宇宙的物質のレベルの現象だと考えられます）が、しだいに社会性の干渉を受けていわば「観念論化」され、とうとう幻想を紡ぎ出す物語に組織されてくるプロセスのすべてを、私たちは洞窟壁画のうちに見いだすことができるのです。儀礼はここから発生します。

そののちに展開されることになる宗教史は、この三つのイメージ群のせめぎあいとして理解することができます。小さな子供の霊や妖精のようなかたちをとって、世界中に存在が知られてきた精霊は、おそらく旧石器時代の体験に根ざした、とてつもない古さをもっていますが、こうした精霊は「神」のような存在が考えられるようになると、しだいに脇に押しやられてしまうようになりました。神はイメージの第二群から発生してくる観念にささえられていて、第一群の唯物論的な精霊を抑圧して、ヒトの意識の前面に躍り出てくるようになります。「神」はすぐに社会性と結合するようになりますから、物語にささえを見いだす社会的制度や掟の観念とも相性がとてもよいので、ここから国家と「神」の密接な結びつきも生まれるようになり、今日私たちの世界がよく知っているような諸宗教のかたちが、つぎつぎに形成されていった、と考えられます。そこでは精霊や神が層をなしているように見えています。このことはあとでもっと詳しく説明されることになるでしょう。

今回の「比較宗教論」の講義では、この宗教史におけるイメージのせめぎ合いの問題を、映画をとおして理解するというサーカスを演じてみようと思います。それは映画の内部にも、宗教の場合とよく似たイメージの三層の構造を見いだすことができ、それが映画がつくられるさいにも、映画を理解するさいにも、とても重要な働きをしているように見えるからです。そのことは回を追ってしだいにはっきりしてくることですが、ここではすこし先取りをして、宗教におけるイメージの構造と、映画におけるイメージの構造を、二三ページのような図式としてしめしておくことにしましょう。「三位一体」のモデルとして書かれたこの構造は、この講義の最後までみなさんの思考の導きとなってくれるでしょう。

では、前置きはこれくらいにして、第一回目の講義をはじめるとしましょう。

2　宗教の映画的構造（フォイエルバッハ）

宗教をはじめて映画の構造で理解した人は、ドイツの哲学者フォイエルバッハ（一八〇二―七二）という人です。フォイエルバッハの生きていた頃にはまだ映画は発明されていませんが、彼が名著『キリスト教の本質』でしめしてみせた宗教論では、宗教とくにキリスト教が、まだ出現していなかった映画の仕組みで説明されています。

これはとても不思議な話のようにも思えますが、もしも私がこの連続講義であきらかにしたいと考えているように、宗教がそもそも映画の構造をもっているのだとしたら、フォイエルバッハの未来を先取りしたような理論は、べつに不思議でもなんでもないことになるでしょう。言い方を変えると、映画というものが発明される以前から、人類の心の中には「映画的な構造場」が存在しており、しかもそれはとても重要な構造場であって、そこから多くの宗教現象が生まれ出たばかりでなく、のちのち映画という娯楽もその同じ構造場から生まれてくることになった、と考えることができるでしょう。

フォイエルバッハの考えでは、宗教は人間の心の中におこっているプロセスを、幻想のスクリーンに投影したものにほかなりません。この幻想のスクリーン上には、神や聖霊や秘蹟などが映し出され、それらのイメージはおたがいに宗教体系としての統一や整合性をもたされています。しかし、それはあくまでも幻想のスクリーンに映し出された映像のようなものですから、そこに真実をもとめることはできないでしょう。

重要なのは幻想の体系としての宗教の中身をあれこれと詮索《せんさく》することではなく、映像がスクリーンに映し出される全体機構を理解することなのではないか。どうしてヒトの心が、自分の本質を外に映し出す必要が生まれたのか、その理由を理解することこそが、宗教の本質を理解し、宗教をもはや無用のものとして博物館に送りこむためにも、いちばん大切なことだと考えたのでした。フォイエルバッハは人間は宗教を超えていかなければならないと考えていましたが、この考えはマルクスなどにも大きな影響をあたえることになりました。

こういう考えをもったとき、フォイエルバッハの心には、影絵や幻灯機のイメージがあったように思われます。強い光源から出てくる光をレンズで集め、前方のスクリーンに投射するのですが、その途中に影絵人形やフィルム上に描かれた絵などを差し挟むと、その像がスクリーン上の光の濃淡となってあらわれる仕組みです。とくに幻灯機の場合には、フィルム上の絵はスクリーンに逆さまになって投影されます。

フォイエルバッハの考えでは、人間は自分の心に起こっていることを直接観察することが

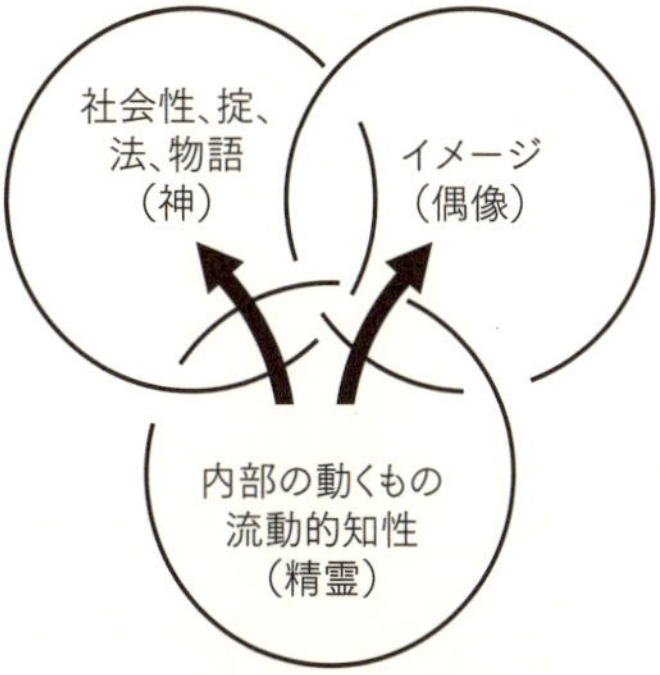

**宗教を構成する
イメージ群の構成と運動**

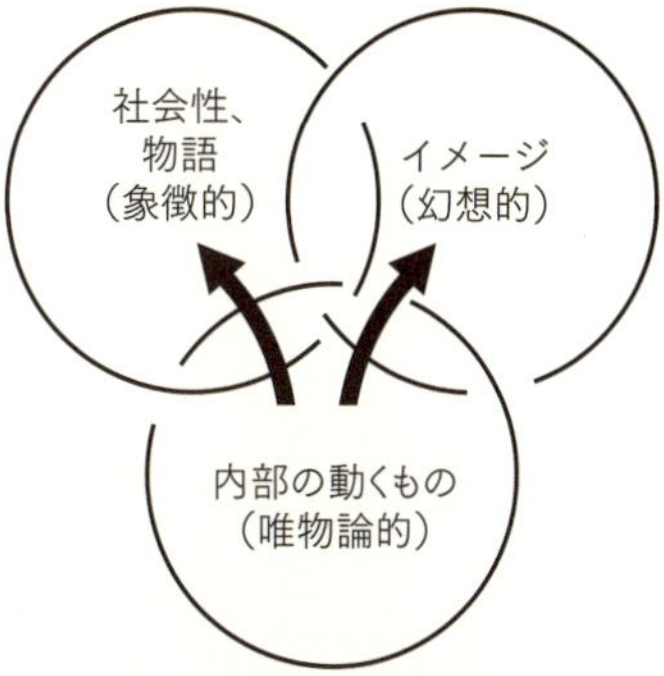

**映画を構成する
イメージ群の構成と運動**

できないので、それを幻灯機のような仕組みを通して、幻想のスクリーンに投影して見ることになるというのです。心に起こっているさまざまなことは、のっぺりとした二次元の平面で起こるのではなく、高次元的な現実として心の中にわき上がってきます。ところが、私たちの認識の機構は映写システムとしてつくられているために、高次元的現実を二次元のスクリーンに「次元を落として」投影することになります。しかも、そこでは像は逆さまに投影されるので、現実と幻想はおたがい逆立ちしたような関係になります。人間が現実の正しい像を得るためには、このような幻想のスクリーンを取り去る努力をしなければならない、とフォイエルバッハは考えました。ここからのちのちまで大きな影響力を持つことになる、彼の唯物論哲学がかたちづくられることになったのです。

どうでしょう。たしかにここには宗教の映画的理論の原型がしめされています。この考えでは、人間の心はフィルムに喩えられます。このフィルム上に記録されたデータを、背後から強力な光で照らし出しますと(この強力な光というものが、心の機構ではなににあたるのかは、この講義でおいおいあきらかにされていくでしょう)、濃淡の変化として記録された心の過程がスクリーン上に投影されて、外側に引き出されますが、人間は自分の心を直接見るのではなく、このスクリーン上の像を見ることによって、逆に自分の心の内面を見ている、こういうメカニズムが宗教だと言うのですね。たしかに、これは宗教の映画的理論と呼んでもよいものでしょう。

＊

宗教を深く理解することは、自分の心を知ることにほかならない、というのは古今のすぐれた宗教家がくり返し語っていることですが、私たちは自分の心を直接観察するのではなく、外側のスクリーン上に投影された映像としての宗教をとおして自分の心を観察することになるという構造を、これらの思想家たちはきっとよく知っていたのでしょう。フォイエルバッハの唯物論的宗教論は、いわばそれの近代版としての意味も持っています。

しかしそこから幻想としての宗教を、まっこうから否定しようとする考えが生まれることになったことは否めません。宗教はヒトの心の深部で起きていることを、映画的構造を通して宗教システムという幻想のスクリーンに射影する機構ですから、スクリーンの上で活躍する天使も聖霊も神も、実在などはしていません。それはスクリーン上の女優が、そこに実在していないのと同じです。そこで、十九世紀になって宗教批判が激しくなると、天使も聖霊も神もまったく実在しない幻想の産物として、「唯物論的」に否定され、それといっしょに宗教のために用いられてきた映写機やスクリーンまで、まるごとごっそりうち捨てられてしまうようになったのです。

そこからいくつもの由々しい事態が起こることになりました。宗教はヒトの心の深部で展開されている、矛盾をはらんだ複雑なプロセスを自分の中に飲み込みながら発達してきましたが、宗教の機構全体が否定され、それに代わって人間についての「唯物論的」で「科学的」な考えが支配的になってきますと、ヒトの心の複雑な動きをイメージに焼き込んだ「フィルム」までが否定されてしまうことになり、なんとも平板で単純化された人間理解がはびこることになってしまいました。人々は自分を理解するのに、宗教という映画館へ向かうことをやめ、「テレビ的」とも言うべき別の幻想構造をもった世界を、現実だと思いこむようになったのです。

天使などは実在しないし、聖霊も実在せず、神もまた幻想である。たしかにそれはそうでしょうが、そうした射影イメージのおおもとになっている、ヒトの心の構造は実在しています。それどころか、宗教が重要だと考えて、幻想のスクリーン上に取り出しておいてくれたその構造は、心の内部のそうとうに深い部分にセットされてある、ヒトの心の本質に触れているようなのです。スクリーン上に映し出された神々の世界は実在ではないとしても、宗教がその長い歴史を通してセンサーを降ろして探査をつづけてきた、ヒトの心の深部の構造はけっして幻想などではありません。

心には物質性はありません。非物質的な働きです。しかしそれは実在しています。いまこうしているときにも、みなさんの脳や感覚器官を通して、活発な活動を続けている非物質的な働きであり、今後どんなに脳科学が発達するようになっても、ある重要な部分では、かつて宗教が知っていたほどの深まりをもって、そうした働きのすべてが解明されるようになるとは考えられません。ある意味では、映画的構造としてつくられた宗教というものがあったおかげで、人類は自分の心の本質についての深い理解をもつことができたのではないでしょうか。

あるいはこうも言えるかもしれません。かつてヒトは映画としての構造を持つ宗教を発達させてきたおかげで、容易に直接には見ることも触ることもできない心の深部に触れてきた。その宗教が、近代になって解体現象を起こすようになった時代に、まるでその欠如を補うように映画というものが発明されることになったのではないだろうか。それ故に、映画と宗教の関わりを問題にすることには、大きな意味があるのだと思います。もしも映画の考古学というものが考えられるとしたら、それは映画というものがまだ発明されていない前の時代の古い地層に向かっても、発掘の作業は進められるべきなのです。映画は発明される以前から、すでに存在して、ヒトの心にとって重大な働きをしてきたのです。

3　イメージの考古学へ

ここでしばらく、私が「カイエ・ソバージュ」（講談社選書メチエ）と名付けられた探究の中であきらかにしてきたヒトの心の構造の問題を、おもにイメージの生成という面に焦点を合わせて、もういちど振り返ってみることにしましょう。

ここにいる私たちは、誰もがホモサピエンスとしての心を持っています。ホモサピエンスは新しいタイプの人類として、短く見積もっても五万―六万年前、長く見積もって九万―十万年前に出現したと言われています。ホモサピエンスはそれまで中近東からヨーロッパにかけて繁栄していたネアンデルタールと呼ばれる先輩人類とは、多くの共通点をもちながらも、とりわけ心の構造において大きな違いをもっていました。心の中に「流動的知性」または「認知的流動性」と呼ばれる、知性の自由な動きが発生したからです。

おそらくニューロンの接合回路が組み換えを起こし、それまでブロックされていた認知領域の間に、横断的な行き来を可能にする組織換えがおきたからだろうと、推測されています。そこから、今日の私たちのものとまったく変わらない、いくつもの特徴ある心の活動がはじまりました。現在地球上で話されている言語の種類はおびただしい数にのぼりますが、そのすべてが同一のモジュールでつくられていることがわかっています。この「ホモサピエンスの言語」では、アナロジー（喩、類化性能）が大きな働きをしています。異なる意味を重ね合わせて、新しい意味をつくりだす働きです。このアナロジーは言語のシンタグマ軸とパラディグマ軸の双方に働いて、メタファーやメトニミーを生みだし、豊かな表現を可能にしましたが、こういうことが起こるためには、心の内部に横断的に動いていく流動的知性が発生していなければならなかったのです。

それはまた、ホモサピエンスに特有の社会組織も作り出す力をもっています。違うものをまとめて上位のカテゴリーをつくっていく能力から、親族を分類するための呼称の体系がつくられたり、それを用いてまるで代数の問題を解くようにして、結婚のシステムを制御していくやり方などが、発達するようにもなりました。数についての認識も、認知的流動性の働きなしには不可能だったことでしょう。ようするに、今も私たちが何気なく使用している知的な能力のすべてが、旧石器時代に起こった根本的な「心の革命」をきっかけにして、ヒトの心に発生してきたのです（そして、革命はそのとき一回きりで、そのあとは進化も進歩もおこってはいません。旧石器人と現代人の心の構造は、完全に同一なのです）。

このとき宗教が発生しました。宗教はほかのタイプの心的活動とはちがって、自分たちの心に起こった革命的飛躍そのものに向かおうとしました。ほかのタイプの心の活動では、流動的知性を使って、つぎつぎと新しい開発が進められましたが、宗教は自分たちの内部で活動する流動的知性そのものに照準を定めた、独特の活動を展開したのです。日常的な思考がおこなわれている場面では、流動的知性は表面にはあらわれてこないようになっています。

アナロジーをつかってなにかの言語活動をおこなっているとき、たとえば古代人が石の棒を見て男性の性器を連想したり、渓谷を見て女性の性器を思い浮かべたりしているときに、二つのジャンルのちがうものが形状の類似で結びつけられていることまでは意識できても、その背後で動いている流動的知性の実在を感じ取るまでにはいたりません。

つまり、「心の革命」ののち、新しい世界がつくられるようになると、革命の最大原因をつくった流動的知性の活動そのものは、日常性の下に覆い隠されてしまって、意識されなくなってしまいます。

ところが、この偉大な「革命の原点」にあくまでも踏みとどまり、革命時の状況をくりかえし再現し、若い世代に革命の意義を伝達し続けていこうとする実践が、ホモサピエンスの心のうちには出現したのです。すなわち宗教の出現です。はじめて宗教活動をはじめたヒトは、その「革命の原点」の光景を、映画の機構をつうじて、自分らの眼前に映し出そうとしました。映画が発明される数万年も前に、人類は映画的構造をつうじて、自分の本質をなしている心の本質をのぞき込もうとする実践をはじめたのです。ようやく、この連続講義の主題が、私たちの前に浮上してきました。

4

闇の奥で

私たちが「心の革命」と呼んでいるものがおこったのは旧石器時代です。その頃の人々は、河岸段丘の上などにできた岩の庇《ひさし》の下を生活の場所としていました。場所はヨーロッパ。ピレネー山脈の麓《ふもと》の、気持ちのよい丘陵地帯です。人々が住居に選んだ岩の庇のあるあたりは、日当たりのよいテラスになっていましたから、そこに住んでいた家族は天候のよい日には、さんさんと降り注ぐ太陽の下で、日向ぼっこをしながら、子育てをしたり、道具の手入れをしたり、穏やかな日々が続いていたことでしょう。

日常生活の場所であるその気持ちのよいテラスからだいぶん離れた場所に、宗教活動のための舞台はつくられていました。つくられていた、というより、利用したと言ったほうが適切でしょう。人目につきにくい藪《やぶ》の奥に、隠れるようにして洞窟への入り口がありました。洞窟は自然に出来たもので、大変に規模が大きく、中には

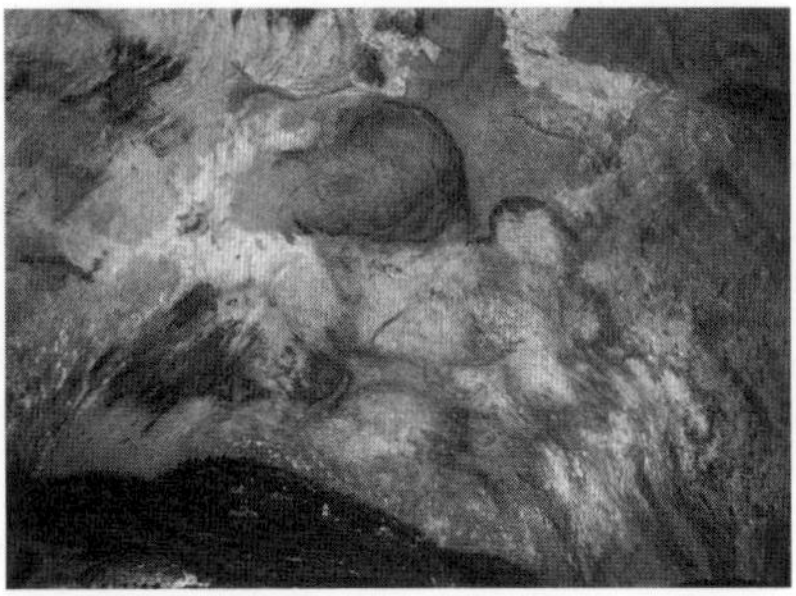

S.Giedion, *The Eternal Present: The Beginnings of Art*, Oxford University Press, 1962

全長数キロも続くものがあります。それぞれのグループには決まった洞窟があり、そこで秘密の儀式がおこなわれるのでした。

儀式のおこなわれる日時はおそらく月の満ち欠けで決められていたのでしょう、その日が近づくと、儀式の参加者となる成人の男たちは、テラスでの家族生活をいったんやめて、家族と離れた男たちだけの別火の生活に入ります。食事は制限され、セックスなどはもちろん厳禁。身体には粘土を使って文様の装飾が入念にほどこされます。動物の動作を真似たダンスがおこなわれたり、同じリズムを延々とくり返す合唱の、低いうなりがいつまでも続いています。昼過ぎ頃でしょうか、長老が軽く合図をすると、皆はいっせいに立ち上がって、洞窟の入り口から真っ暗な穴の中に入っていくのです（これからお話しすることは、あくまでも考古学的事実をもとにした想像にすぎないということを念頭において、私の話を聞いてください）。

＊

明るいところから急に暗い洞窟の中に入って、最初のうちはなにも見えず、足許《あしもと》は滑りやすく、前を行く人の肩につかまるようにして、かなり長い時間をかけて奥へ奥へと進んでいくと、それまで周囲に感じられていた岩壁の感覚がいきなり消え、すっと大きな空間に出たのが感じられます。合図があって、みなが地面に座らされます。まだあたりは暗闇です。すると突然、いっせいにランプの火が灯されるのでした。そのランプは、ひとつひとつは動物の脂を石の皿の上で燃やしただけの小さな火にすぎないものですが、それがいっせいにいくつも灯されると、秘密の儀式の参加者たちの目の前には、じつに驚くべき光景が出現するのでした。

みなはランプの光によって、自分たちが大きなホールの中にいることに気づきました。なんと大きなホールでしょう。うっかり立てた物音でも、たちまちホールいっぱいに広がって、いたるところに反響して、得も言われぬ奥行きのある響きをつくりだしました。しかしそれ以上に彼らを驚かせたのは、周囲の岩肌を覆い尽くさんばかりの迫力で描き出されている動物たちの姿でした。墨と赤い顔料を使って描かれた動物画は、まるで生きているようにみごとに描かれていて、それが壁面といわず天井といわず、たがいに重ね合わされるようにして、びっしりと描かれているのでした。

長老の指揮の下に、儀式がはじまります。ゆったりとした歌と所作をともなうこの儀式が、動物の生命を殖やし、ひいては自分たちの命を豊かにしてくれる目的をもったものであることを、多くの参加者たちはすでによく知っていましたが、今年になってはじめてこの秘密の儀式への参加を認められた若者などは、まだ呆然《ぼうぜん》として壁画を見つめている様子でした。

長いこの儀式がすむと、秘儀の参加者は数人ずつのグループに分けられ、ホールの奥に向かうように指示されます。そこには小さなランプの火に照らし出されて、洞窟のさらに奥に入り込んでいく小さな入り口が口を開けているのが見えます。グループごとに相当に長い間隔をあけて、奥の穴に潜り込んでいくのです。空気は冷たく、少しよどんではいましたが、苦しいということはなく、手探りで奥へ奥へと進んでいくと、しばらくして少し広くなった地面が平らな場所に到着します。あたりはこんどこそ真っ暗闇、ランプの光さえ見えません。

そこでグループは環《わ》になって座るように命じられます。そこへやってきたら、身体を伸ばしてゆっくりと息を吸い、また吐くという動作をくりかえすよう教えられていましたから、一同は物音ひとつたてずに、各自の前方の底なしの闇を見つめはじめます。するとどうでしょう。自分の前の闇の中に、いくつもの細かい光の滴《しずく》のようなものがあらわれ、それはしだいにどんどんとあふれ出してくるように感じられるのでした。まるで自分の眼の奥から光の滴が際限もなくあふれ出してくるかのようで、光の滴は一瞬たりと静止していることなく、底なしの闇の空間に向かって広がったり、カーブを描いたり、ほかの光の滴といっしょになったり、図形のようなものを描いたりしながら、前方の闇を充たすようにあふれていくのでした。

洞窟に入って儀式を受ける前、彼らは長老たちから、「お前たちは洞窟の中で銀河を見るであろう」と教えられていましたから、彼らはこの不思議な現象を前にしても、怖《お》じけるようなことはありませんでしたが、それでも何時間も続くかと思われたこの光の体験は、驚異としか言いようのないものでした。まるで、自分が銀河をちりばめた虚空とひとつになってしまったような感覚です。光はあとからあとからあふれかえり、闇の中に太陽や月や、そのほか見たこともない想像したこともない恐ろしい姿をした精霊の姿があらわれては消えていくのです。

どれくらい時間がたったでしょうか、光の放出がしだいに収まってきた頃合いを見はからって、長老たちは今年はじめて秘儀への参加を許された若者たちだけを連れて、さらに奥の穴に入っていくのでした。奥の部屋でなにがおこなわれるのか、経験者たちはみなよく知っていました。垂直方向の小さな穴で降りていく奥の部屋で、若者は文字通り「死ななければならない」のです。垂直の井戸のような穴からは、若者を「死」に至らしめる有毒なガスが吹き上げてきていましたが、若者はこの穴の中に吊されて、ガスをしこたま飲まなければならないとされていました。

ガスを吸い込むと、すぐに意識がなくなり、しばらくして息を吹き返すまで、新参の若者は死んだように床に倒れてしまいます。そのあいだ、ほんとうに死んでしまったように、全身が麻痺していました。意識が戻ると、若者に長老がたずねます。「死者の国でお前はなにを見た、語りなさい」……こうして長い時間をかけた、洞窟の秘儀が終わりました。みなはもと来た通路をたどって洞窟の外に出てくることができましたが、あたりはすでに夜で、満天には銀河や星たちがまたたき、新月の出現を明日にひかえた真っ暗な夜は、自分が明日産み落とすことになる光の子供の姿を、かすかに闇の奥に暗示している様子でした。こうしてすべてが生まれ変わり、すべてがまた新しくなったのです。

以上がヨーロッパに住んでいた、旧石器のホモサピエンスたちが体験したであろう、「はじまりの宗教」の空想的なシノプシスです。空想的とは言ってもまるっきりのでたらめではなく、考古学や人類学の成果にもとづいて推理されたシノプシスです。

＊

お気づきのように、すべてが「イメージ」の体験を中心にして構成されています。そこにはいくつかの性質のちがうイメージ群が生起しており、そうしたイメージ群を体験しながら、彼らは自分たちの心の内部をのぞき込み、ホモサピエンスの心におこった革命の現場を再現しようとしているように思われます。しかもそうしたイメージ群は、「まるで映画のように」外に向かって映写されているようにさえ見えます。近代の映画館は洞窟を模してつくられましたが、はたして旧石器の洞窟の中でヒトは映画的構造を使って、ほかの人類の知らなかった宗教というものを生みだしたのです。

5　イメージの原初に向かう

このときホモサピエンスは、イメージにそなわった微弱な物質性をなかだちにして、非物質的な心の運動をとらえようとしていた、と言えるかもしれません。イメージ形成におけるこの物質性の関与の質的な違いにもとづいて、「はじまりの宗教」をかたちづくるイメージ群を大きく二種類に分けることができるでしょう（一八―一九ページで述べた［①］と［②③］）。

第一群は洞窟の奥のほうの体験であらわれてくる、内部光学が生みだす光のイメージ群です。真っ暗闇の中に長時間いるときに、この現象がおこります。外側からの刺激がいっさい遮断されている状態に長くいますと、視神経が自己励起を起こして、からだの内側から発光しだす現象です。

無数の光点があざやかに光りだしたり、それらが集まって格子状をなして流れたり、波のような文様を描いたり、さらに集まって月や太陽を思わせる大きな光点となって光ったりするようになりますが、これらのイメージ群は、まったく抽象的で、現実世界の中には対象物をみいだすことができません。そういう意味で、このイメージ群を「直接的イメージ」と呼ぶことができるでしょう。あるいは、イメージの「非物体性」をあらわにするもの、と言うことができるかも知れません。

人類学者が二十世紀になって研究したいくつかの文化で、この内部光学の現象がじつに効果的に用いられている実例がいくつもあります。なかでも有名なのはアマゾン河流域に住む先住民トゥカノ族で、彼らはダツーラなどの幻覚作用をおこす特殊な植物を吸うことで、この内部光学の現象をつくりだし、「宇宙の根源を見る」体験をもとうとしています。またチベット仏教でもこの現象は大いに利用され、「裸の状態にある心」というものを見るための宗教実践が発達しています。

そうした宗教実践では、内部光学が体験させてくれる「直接的イメージ」は、ヒトの心の中に超越的領域を開こうとしています。そこではイメージにつきまとう物質性は、限りなくゼロに近づこうとしています。それによって、心の働きの中から物質的過程の干渉をできるだけ取り除いて、心の働きを純粋な非物体性として「見よう」としています。トゥカノ族のシャーマンはそれゆえ、闇の中に発光する光の現象を体験させたあとに、若者たちに「お前たちは銀河に行ってきたのだ」と、教えることになります。彼らの世界観では、銀河とはヒトと生命と世界の根源をあらわす超越的な領域であり、そこはまた精霊の住まう空間とも考えられています。

このレベルのイメージ群は、映画の構造として見るとき、興味深いなりたちをしています。なぜならそこには光源やフィルムは存在しているのに、スクリーンにあたるものがないからです。視神経の奥からあらわれる光のイメージは、真っ暗闇に向かって「映写」されますが、そこはいわば底なしで、どこにも光のイメージを受け止める二次元平面はありません。フィルムにあたるものは、ホモサピエンスの心そのものである流動的知性ないし認知的流動性の働きにほかなりません。認知的流動性と内部光学による光の滴の運動は、ひとつにつながっていると、多くの宗教的伝統が考えてきました。

＊

第二のイメージ群は、洞窟の中央部に広がるホールの壁などに、びっしりと描かれた動物のすがたをあらわす具象的イメージ群のことです。このレベルのイメージ群から記号と物語がつくられます。言うまでもなく、第一のイメージ群はいかなる記号にもなりませんし、どんな物語もそれじたいでは語ろうとしません。ヒトの認知能力を超えた超越的な領域に触れているのが第一イメージ群であるとすると、そのことの恐ろしさを緩和するために、この第二のイメージ群は生まれた、と言えるかもしれません。

そこでは、洞窟の外の、日常生活がおこなわれている見慣れた世界のすがたが、具象的に描かれていますので、内部光学が心の内側に開く超越的領域にそなわっている「ヌーメン＝おそるべき力」は、大いに和らげられています。むしろ、そうした力が現実の物質的世界との境面に触れたときに、意味が発生する、その過程を保存しようとしているのが、このレベルのイメージ群なのかも知れません。

じっさい、それは記号的世界の発生を意味しています。記号はふたつの力が交わるときに生みだされる現象です。ひとつの力は垂直方向に向かう力で、非物体的な無から表現のおこなわれる平面に向かって立ち上がってくる、表現への意志をしめすものです。もうひとつの軸は水平方向に広がっていく力で、ほかの記号と結びあって、意味を発生させようという意志をあらわしています。たがいに垂直に交わるこのふたつの軸が交わるところに、記号は生まれますが、イメージ第二群はまさにこれに対応しています。

このタイプのイメージ群が、暗い洞窟の奥の壁面に最初に出現したことには、大きな意味がこめられている、と私は思います。こうした壁画が、動物たちの生命を増殖させようという目的をもった儀礼に用いられてきたにちがいないという、考古学者たちの推理を思い出してみましょう。新しい生命が生まれ、命の増殖がおこるという現象ほど、不思議なものはありません。遺伝子の情報をつぎの世代に伝えていくDNAは、世代の交代をへても存続していきますが、個体が生まれ、死んでいくという現象は一回かぎりのもので、ここには死と未発（いまだ生まれ出ていない生命）を宿した潜在的な空間というものが、かかわっています。死と未発の空間を目で見ることはできません。この世に存在してさえいないものです。それでも、生命の誕生と死は、この潜在空間抜きには思考できません。すくなくとも、ホモサピエンスである私たちには思考できません。ですから、生命の誕生を無から有への転換と考える必要があるのです。

無から有への転換がおこって、生命が出現する様子は、記号が生成するプロセスとそっくりです。記号はさきほど述べましたように、表現にむかって垂直に立ち上がってくる力が、現実の世界を構成する平面にぶちあたるときに、発生します。つまりここでも、いわば無から有への転換がおきていると見ることができます。そうしてみますと、生命増殖の現象は、洞窟の壁面に動物のイメージを描くときにおこる記号発生の現象と、まったく同じ構造をもっていることがわかり、似ているもの同士を結びつけるアナロジー能力は、「動物のイメージを描くことが、動物の生命増殖につながる」と思考することになるでしょう。

この第二のイメージ群は、すでにりっぱな映画の機構をそなえています。強い力を照射する光源は、ヒトの知性のおおもとをなす流動的知性にあたります。フィルム上には記号を生みだそうとする意志のプログラムが刻まれています。そして、岩の壁をスクリーンとして、心の内部でおこっている過程が映し出されます。第一群のイメージが「無から無へ」向かうイメージの氾濫であるとすると、この第二群のイメージは「無から有」へ向かおうとする垂直の運動をあらわし、しかもそこからは記号も生まれてくることができます。つまり、ここにはものごとの生成を表現しようとする、すばらしい芸術的な映画が上映されているのです。

ここに物語性が加われば、もうりっぱに私たちのよく知っているあの娯楽映画が出てくることでしょう。じっさい洞窟壁画を詳しく調べてみると、第二群のイメージを意識的に組み合わせて、神話の光景らしきものを描いている場面が、数多く発見されてきました。

神話や儀礼と関係の深いこれらのイメージ群は、第三群としてひとつにまとめることも可能

第一群

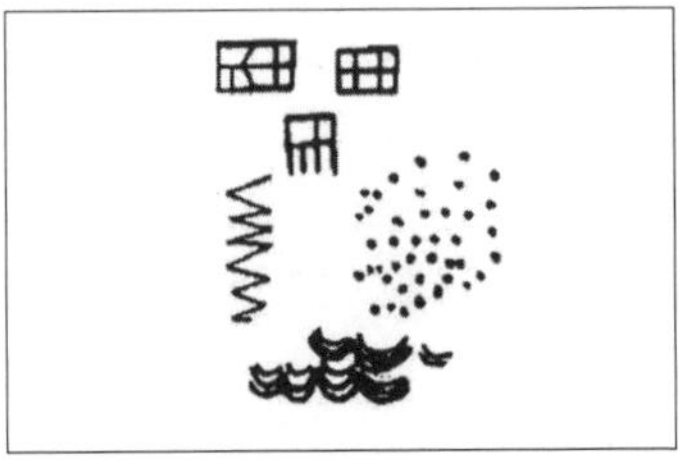

第二群

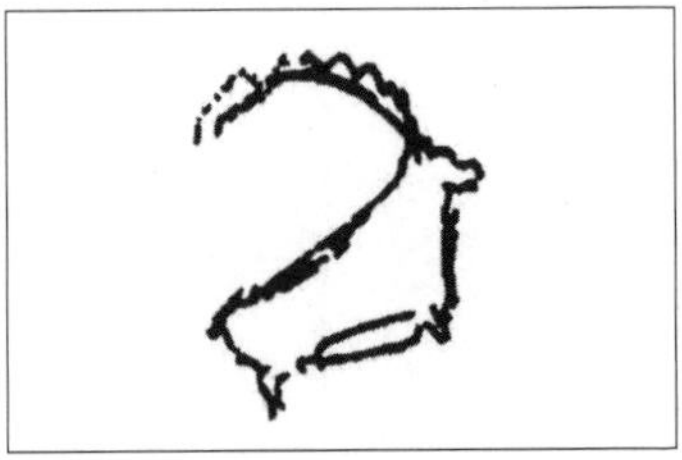

第三群

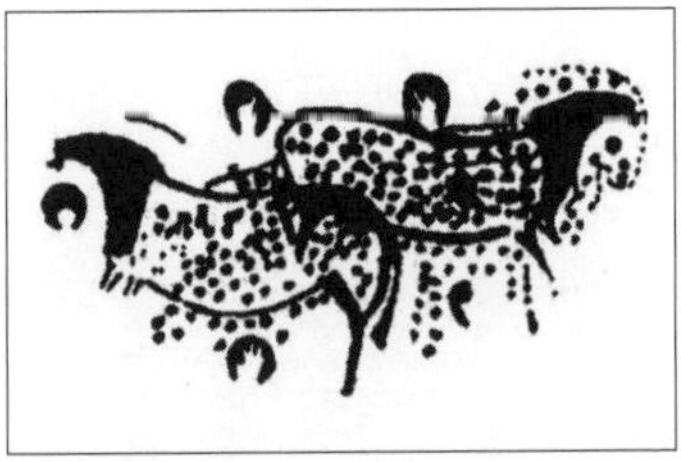

だと思います（一九ページの③に対応します）。この第三群のイメージは、物語によって統御されていますから、そこには社会の考えるものごとの価値や世界観などが結びついています。社会集団のイデオロギーなども、ここには組み込まれていることでしょう。このグループに属するイメージは、それ故「有から有へ」向かう、横滑りの運動に身を捧げていると言うこともできると思います。

＊

こうして私たちは、宗教と芸術の発生の現場を保存している、旧石器の洞窟壁画を構成するたくさんのイメージを、つぎのような三つのグループに分類することができました。いずれも映画の構造をしていますが、装置の構造上のちがいや、社会性の関与の度合いなどによって、大きく三種類に分類されるのです。

そこにはまだ「神」のようなものはいません。すべてが精霊の世界としてくりひろげられています。人類は「神」などのいないそういう宗教の世界に、数万年にもわたって暮らし続けて、すこしも不便を感ずることはありませんでした。そういう精霊は、じつは今も生きています。新石器時代に入り、組織的な農業がはじまったり都市が生まれたりするようになると、「イメージ第二群」から発達してきた動物や人間のすがたをした「神々」が前面にあらわれてくるようになりますから、旧石器時代以来の精霊は、しだいにヒトの宗教生活の中心からは退いていきました。しかし、けっしていなくなったりすることはありませんでした。

なぜなら精霊は、イメージの最古層である「イメージ第一群」に直接的に触れている存在なので、いつまでもホモサピエンスである私たちの心の本質をあらわしているものとしての重要性を失わなかったからだと思います。偉大な「旧石器革命」以来、人類の心の基本構造には少しの進化もおこらなかった、という話をしましたでしょう。精霊はその「心の基本構造」の部分から立ち現れてくるのです。ですから、こののちもたとえどんなに科学技術的文明が発達していったとしても、なんらかのかたちをした精霊が発達した人工知能や人工生命たちのつくる世界の隙間をかいくぐって、生き続けることでしょう。

さて、ずいぶん長時間にわたって話をしてきましたから、少しくたびれました。みなさんもそうでしょう。そこで映画を一本見て、息抜きとしましょう。アメリカ映画『十戒』(セシル・B・デミル監督、一九五六年、テクニカラー作品)の後半部分です。この映画を見ていただくのは、これが映画的にすぐれた作品だからではなく、むしろ巨大な失敗作であるからです。映画としてのその失敗を見ていただくことによって、今日の講義の後半で私が話そうとすることの意味を実感していただこうと思い、あえてこの映画を選んだしだいです。ですから、退屈に感じた方、ばかばかしくて見ていられないと感じた方は、後半の講義がはじまるまで自由にしていてくださってけっこうです。

「十戒」

セシル・B・デミル監督　The Ten Commandments　一九五六年　アメリカ

〔写真協力　(財)川喜多記念映画文化財団〕

所はエジプト。第十九王朝ラメシス（ラムシス）一世の時代。奴隷となり過酷な労働を強いられていたイスラエル民族。そのイスラエル民族に解放者が生まれるとの予言を聞きつけ、新らしく生まれるヘブライの男子をすべて殺すという布告が出される。そんな中、ゆりかごに隠されて川に流された子どもがいた。ナイル河に水遊びに来ていた王女ビシアに、その男子は助けられる。子供のないビシアは、自分の子供として育てることにし、その子をモーゼ（〝水から拾い上げた子〟の意）と名づけた。

モーゼは青年になり「若い王」と呼ばれていた。ラメシス一世が死んで新しい王セティの時代、モーゼはエチオピアを征服し凱旋する。次のエジプト王はモーゼといわれていたが、ラメシス二世はこれを阻止すべく、モーゼ出生の秘密を暴く。衝撃を受けたモーゼに苦難が襲いかかる。わずか一日分の食糧とともに砂漠へと追放されたのである。牧羊の民と会い、難を逃れたモーゼは静かな生活を送っていた。

しかしある日、シナイ半島から逃れてきたヨシュアに会い、モーゼはシナイ山に登る。そこで神の力を得て、解放者となるのである。奴隷の境遇から解放されたイスラエルの民は、酒と淫蕩に耽るようになる。モーゼはシナイ山で受けた十の戒律を石に刻み、彼らの前に立ちはだかるのであった。

パラマウント・ホーム・エンタテインメント・ジャパン

過酷な奴隷労働

王女ビシアのもとへと流れついたモーゼ

モーゼの秘密を暴いたラメシス２世

牧羊の民として生きるモーゼ

紅海が二つに分かれエジプトを脱出する
イスラエルの民

石に刻まれた十戒

6　モーセの革命

さて、再開しましょう。精霊だけがいる旧石器時代の宗教の世界は、映画館のような場所で発達しました。ところが、新石器時代の宗教は洞窟の暗闇を出て、オープンエアーの屋外で発達するようになりました。旧石器の宗教では、心の内部から放射される光の秘儀を、暗闇で見つめることをとおして、ホモサピエンスとしての自分たちの本質を認識しようとしていましたが、組織的な農業の開始や都市の原型的なものが出現してくるようになる新石器時代になると、旧石器的な洞窟の宗教はさまざまな秘儀として残っているだけで、社会的な場面では宗教は太陽や月のもとでおこなわれるようになりました。洞窟のような映画館を出て、宗教は星空のもと、ドライブインシアターのような場所を舞台とするようになったわけです。

精霊は「無から無へ」向かうような存在だ、という話をしましたね。そのために、精霊がどんなものかを語っている民話などを見ても、小さな赤ら顔の子供のようだったり、眼に見えないくらい小さなはかない姿をした妖精のようであったり、ちょっと怖い姿の小鬼のように描かれたりしています。それにいったんこの世にあらわれてきても、精霊は蜻蛉《かげろう》のように短い時間この世に滞在しただけで、いつのまにかすっと消えていなくなってしまいます。物質性の世界に触れると、非物体の存在である精霊は、消えてしまいやすい性質をもっているようです。

こういう精霊ですから、この世で力をもつということがありません。もっとも精霊じしんは力や富の源泉近くに住んでいるらしいのですが、本人はまるで力にも富にも関心がなく、たまに出会った老人夫婦がきれいな心を持ちながらもいたって貧しい暮らしをしているのを見かけたりすると、惜しげもなく富のわき出る小槌をあげてしまったり、貧しい靴屋の願いをかなえて、夜の間に何足もの靴を縫い上げておいてくれたりもするのですが、力にも富にもまるで淡泊な態度しかしめしません。

人類が何万年もの間親しんできたのは、こういう精霊たちなのでした。精霊は素粒子のようにはかない存在でありながら、宇宙のすべてを貫いて流れる力に触れている存在です。すがたもかたちもとらえどころがなく、おおむね小さく、ユーモアを好み、なかなか奥の深い正義感をもち、現実世界をつくる力にも富にも執着をもっていません。精霊はまさしく、美しき無の非物体なのです。

*

ところが、「新石器革命」と呼ばれる生活革命が、地球的な規模で起こるようになった頃から、この精霊は以前のようには気軽にホモサピエンスたちの前には、出現しなくなりました。組織的な農業がはじまり、大きな河のほとりに都市の原型らしきものがつくられるようになり、王が出現し、貨幣がつくられて安定した交易がおこなわれるような社会がいくつもあらわれるようになると、精霊の没落がはじまったのでした。

新石器的世界は、いったんこの世のものとして出現した力や富を、いままでの世界のようにはかなく無の世界に手渡してしまうことを、潔《いさぎよ》しとはしなくなりました。力を人間の身体に体現している王というものがあらわれ、その者が生きている間は王の権力はその身体の内にとどまり続け、その者が亡くなったり弱くなったりすると、王権はそこを離れて、新しい王の身体の内に宿るようなやりかたで、この世で持続可能になる政治権力をつくるシステムが、王権として確立するようになりましたし、自然が生んだかヒトの労働が生んだかは別として、ひとたびこの世の富となってあらわれた価値は、貨幣や文字の中に保存されて、いつまでも現実世界にとどまり続け、交換をつうじてほかの人々の手を渡っていくようになりました。

こういう世界に神があらわれたのです。この神の前身を問えば、その昔の精霊的存在だということにもなるでしょうが、精霊の中でも私たちが「イメージ第二群」と「イメージ第三群」と名付けたイメージ層に組み入れられていたものたちは、旧石器的精霊としての伝統ある地位を捨て去って、たやすく神なるものに変身していきました。それはこの第二・第三群のイメージ層では「無から有へ」の転換がおこり、しかもいったん有の世界に組み込まれたものは、「有から有へ」とメタモルフォーシスをくり返しながら、みずから現実世界で持続していきました。

こうして新石器の都市世界を中心にして、新しい神々の世界が出現してくることになりました。これらの神々は威力に満ち、じゅうぶんに確立された「大きな」存在として、人間たちの上に君臨していました。一部の秘儀性を好む神たちを別にすれば、たいがいの神々は古い儀礼場である洞窟ないしは洞窟類似の場所を出て、太陽と月のもとにその偉大なすがたをあらわしました。サクリファイスを中心にした神々のための儀礼の体系が整えられ、神々への賛歌は文字に記録されて、専門の聖職者たちの管理するところとなっていったのです。

新石器の都市的な神々は、イメージの第二群と第三群にもとづいて造形されていきましたが、「無から有へ」の転換にかかわるイメージ第二群の働きによって造形された神々は、動物と人間の合体したすがたで描かれることが多かったようです。牛の顔に人間の身体を併せ持った神、人間の身体に馬や豚の頭をのせた神……こうした神のすがたには、非人間の領域に立ちおこった力が、人間の世界に触れて転換をおこすところに出現する神々、というものをあらわしています。

第三群のイメージの働きによって造形されると、「有から有へ」の転換・転変を本性とすることになりますから、つぎつぎと変身（メタモルフォーシス）していくダイナミックな運動性を持ち前とする神々が、つくりだされていくことになります。

こうした神々は、どこか貨幣に似ているような気がしませんか。貨幣も商品と交換されるたびごとに、つぎつぎと別の新しいすがたをまとっていきます。商品への交換がおこるたびごとに、貨幣はつぎつぎと別の商品のすがたへとメタモルフォーシスをくり返していくようにも見えますが、富の持続可能な転換体である貨幣そのものは、富の世界を守護する恐るべきまた愛すべき神である「マモン」として（「マネー」ということばは、富の神をあらわすこのローマ人のことばから生まれたものです)、いつまでもこの現実世界にとどまり続けようとするのでした。「お金は神様である」という言い方には、深い人類学的真理がこめられています。貨幣も多神教の神も、イメージ第三群の働きから生みだされたものとして、共通の生い立ちをひめているからです。

＊

ところが、このようにして数千年間もかけて豊かに発達していった「多神教」の神々の世界を、根底から震撼《しんかん》させることになる大事件が、いまから三千二百年ほど前の中東世界に起こったのです。それは宗教学者たちによって「モーセの革命」と呼ばれているもので、一神教《モノティスム》の考え方の発端をつくったという意味では、今日の世界にまで大きな影響を及ぼし続けているものです。

ことの発端はこうだった、と『旧約聖書』の「エクソダス(エジプト脱出)」の章には書かれています。今から三千二百年ほど前、エジプトにラムセス二世の支配する王朝が栄えていた頃の話です。エジプトの地にアブラハムを共通の先祖とするベドウィン(遊牧民)の部族が住み着いてから、すでに長い時がたっていました。この部族はもともとメソポタミアのウル近郊を根城にしていたといわれ、ちょっと見にはなんの変哲もないベドウィンの部族のようにも見えたのですが、彼らの信仰する神の性格が少し変わっていることだけが、気になるところでしたが、その頃はそういう性格もあまりめだつものではなかったようです。

この部族はエジプトに住み着き、そこの豊かな大地で農業をおこない、ラムセス二世とその父王の時代には大いに繁栄するようになっていました。この人口過剰を見て困惑した王は、この民族に奴隷労働をさせたらさぞかし役に立とうと、思いついたそうです。当時の奴隷労働と言えば、おもに都市と水路とピラミッドをつくる作業でした。これはなかなか過酷な労働で、この民族はラムセス二世とその父王のもとで、大変な苦しみを味わいました。しかしこれもアブラハムの民（のちのちこの人たちはユダヤ民族と呼ばれることになりますが、その話はずっとあとになってからでないと出てきません）にだけ降りかかった災難というわけではなく、エジプト王国に飲み込まれた多くの周辺民族が味わった苦しみではありました。

これは父王の時代の話になりますが、あまりに増大したアブラハムの民の力に恐れをなした父王は、この部族の生まれたばかりの男の長子はすべて殺せという命令を出しました。こうしてこの部族の男の子たちは次々に殺されていきましたが、ここに一人だけ、その殺戮《さつりく》を逃れることのできた子供がおりました。その子は、お母さんが葦で編んでまわりをタールで防水処理した小さな籠に隠されて、運を頼りにナイル河に流され、運良く通りかかったエジプトの王女に拾われて、秘密を隠したままなんと王宮で育てられることになったと言います。その子はモーセと名づけられました。モーセというのは、「水から拾い上げた子」という程度の意味の、エジプト語の名前でした。

モーセは立派な青年に育ちましたが、いつしか自分がエジプト人ではなく、アブラハムの民の子孫であることを知るようになり、自分の同胞が奴隷の暮らしに苦しんでいることに苦しむようになります。そしてある日、あるエジプト人の監督官がアブラハムの民をむちで打っている現場に出会い、怒りにかられてこの役人を打ち殺して砂漠に埋めてしまいます。しかし、この殺人はしっかり目撃されていました。

身の危険を感じたモーセはパレスチナの砂漠地帯に脱出します。今のシナイ半島あたりのようです。そこにはたくさんのベドウィンたちが住んでいました。彼はミディアン族に受け入れられ、そこの娘と結婚し、すっかり部族の一員となって、静かな日々を送っていました。それで終わっていれば、なんということもない話ですが、ここから先が重要なのです。あるとき一匹の羊が行方不明になり、それを探してモーセは「エル・シャダイ」の住む山に登っていきました。エル・シャダイは威力あるものという程度の意味で、ベドウィンたちの山の神にほかなりません。インドでならばさしずめシヴァ神の住む山に登っていった、とでもなるところでしょう。エル・シャダイの山をベドウィンたちは崇拝し、畏《おそ》れていました。

山の中に迷い込んだらしい羊を追って登っていくと、そこに不思議な現象を見ました。柴の木が燃えているのです。ところが、燃えても燃えてもこの柴は燃え尽きません。それどころか光を放って、煌々《こうこう》と輝いていた、と書かれています。おそらくモーセははじめ、その不思議な現象は山の神であるエル・シャダイの威力をしめすものと考えたことでしょう。ところが、柴の中から彼に呼びかけた声は、自分はアブラハムやイサクやヤコブたちの神であったもので、いまこうしてあなたの前にあらわれたのは（じっさいその声は、モーセに「あなた」ないし「君」と呼びかけています）、エジプトで苦しんでいる「私の民」を救いだし、エジプトから脱出させるという任務を、あなたにさずけたいからである、ととんでもないことを言い出して、モーセをびっくりさせたのでした。

その神はエル・シャダイのようなタイプの神ではありませんでした。話をよく聞いてみると、この神には姿もかたちもなく、像であらわすこともできず、気軽に名前を呼びかけることも許されない神だというのです。しかし、名前くらいはいいでしょう、と懇願すると、しぶしぶ「ヤハウェ」とも「ヤヴェ」とも聞こえる名前を漏らしてくれました。それ以降、アブラハムの民の神の名前はヤハウェとして知られることになります。

当時の人々が信じていた神は、イメージの力をみずからの大きな源泉としていました。とりわけ、イメージの第二群と第三群と私たちが呼んでいる、記号性や幻想性と深いつながりのあるイメージ群を、威力の源泉としていました。ところが燃える柴の中にあらわれたこの神は、イメージの力を完全に拒否して、ただかろうじて名前だけが残るという、まったく新しい神として、モーセの前にあらわれました。

さらには、この神は自分だけを神として信じるようにという要求を、モーセにつきつけます。この要求は今から考えると、一神教に特有な考えのように思われますが、当時はそんな風には理解されなかったようです。部族神または民族神として、ヤハウェが自分をエル・シャダイの中のエル・シャダイとして、数ある神のうちのもっとも力ある神として認めるように、という要求をしているだけのようにも見えます。しかしこのことは、のちのちのユダヤ教の発展の中では、別の意味を持たせられるようになり、すでにこのときヤハウェが一神教的な主張をしていた、と理解されるようになります。

＊

こうしてヤハウェに促されたモーセの偉大なこころみが開始されたのです。途中のこまごまとしたエピソードについては、映画にまかせておいて、私たちはことの本質に一気に向かっていくことといたしましょう。モーセの冒険を語る『旧約聖書』のこのくだりは、「エクソダス」の章と名付けられています。脱出を意味するギリシャ語です。なにからの脱出をモーセと彼が率いたユダヤの民はこころみたのでしょうか。むろんそれは、ことばの表面的な意味では、エジプトのファラオの軛《くびき》からの脱出を意味します。しかし、『旧約聖書』(正しくは『モーセ五書』と言ったほうがよいかも知れません)解釈の伝統の中で、このことばはもっと重大な意味を担わされることになりました。また、その解釈はホモサピエンスの宗教史を「イメージの運動とその構造」として理解してみようとしている私たちのこころみにとっても、重大な意味をもっています。なぜならその伝統の中で、「エクソダス」は「イメージとしての神」からの脱出を意味してもいるからです。

その当時「アブラハムの民」ユダヤ人が接触していたエジプト人の文化は、きわめて物質性の強い性質を持っていました。そのことはお墓にミイラといっしょに埋葬された装飾品などを見るとよくわかりますが、それ以上に物質的だったのは、エジプトの神々の世界でした。中心をなすのはアヌビス（犬の神）やホルス（隼《はやぶさ》の神）などのように、人間と動物のからだを合体させた神々、私たちの言うイメージの第二群に属する物質性の強い神々で、そのすがたは像として造形され、絵に描かれ、ヒエログリフに刻まれました。エジプト人の生活は、いまの私たちのように、あふれんばかりの大量のイメージによって充たされ、そればかりか死後の世界までもイメージで埋め尽くされていました。

そのイメージの世界からの脱出こそが、モーセの革命の真の意義をしめすものでした。旧石器型の「無から有へ」向かう非物体的イメージがかたちづくる精霊の宗教を否定して、「無から有へ」と「有から無へ」を特徴とする物質的イメージの神々がつくりあげる宗教の世界へと、新石器型の文化はその本質を変えてきた、その発達のひとつのピークがエジプトの文明だったわけですが、モーセと彼に指導されるユダヤ民族は、そこからのエクソダスを敢行することによって、ホモサピエンスの思考に決定的な飛躍をもたらそうとしたわけです。

エジプトからの脱出は、隷属状態からの脱出を意味するものでしたが、そのことの意味を深めていくと、人類の物質的イメージの呪縛からの脱出を意味する行為に、たどり着くことになります。人類の宗教的思考は、映画館の構造をもつ洞窟の奥の体験から出発して、しだいにイメージの物質性を重くしていわゆる「偶像」というものをつくりだすにいたりました。こういう新石器的発展のまっただなかにモーセが出現して、「偶像」としての神を否定し、イメージの働きに大いなる疑いを突きつけ、これまで新石器型の宗教の発達を導いてきた第二・第三群のイメージ層の存在そのものを破壊しようという「暴挙」に出たとも言えるでしょう。そのとき以来開始された新しい宗教運動では、イメージのさらに奥のほうに、姿も形ももたない、ただ名前しか持たない徹底的に超越的な別の神のありかたが模索されています。

これを「イメージの運動とその構造」として宗教の本質をとらえようとしている私たちのこころみに照らし合わせてみますと、モーセは神をめぐる宗教的思考をささえてきた映画的構造を破壊しようとしていた、ということがわかります。映画『十戒』のもっとも印象的なシーンを思い出してください。エクソダスの困難な旅に出たユダヤの民を待ち受けていたものは、生命の痕跡すら見えない荒涼たる砂漠地帯での、何年いや何十年にも亘《わた》るつらい旅でした。人々の不安や不満がピークに達しようとしていたとき、指導者であるモーセはまったく意外な行動に出ています。

ユダヤの民の指導を兄であるアロンにあずけて、彼自身はシナイ半島にある小高い岩山に登り、そこに何十日も籠もったまま、いっこうに降りてくる気配を見せなくなってしまったのです。モーセはその山の上で、ヤハウェから十の命令（十戒）を刻んだ石板を受け、ようやくそれを抱えて下山に向かうと、麓《ふもと》のテント村ではとんでもない事態が進行していたのです。

不安にかられた人々は、神の姿を刻んだ像をつくってほしい、とアロンに懇願しました。

モーセのようにこのエクソダスの旅のもつ人類的な意義を深く理解していたとは言い難いアロンは、人々の懇願をもっともと思い、新石器時代の初期から地中海と中東世界で広く信仰されていた「牛」の神の像をつくることを許します。神をめぐる思考の中にイメージの力が回帰してきたのです。それを知ったときのモーセの怒りはすさまじく、イメージ派と反イメージ派にユダヤの民を分けた上で、イメージ派を虐殺することで、まとめて一掃してしまったのです。なんともすさまじい話で、これにくらべればバーミヤンの石仏を破壊したイスラム教原理主義タリバンの暴挙などは、まだかわいいものだと思えるほどです。

モーセは、エジプトにおいてイメージの力による宗教というものを深く体験したことによって、イメージによらないユダヤ民族の神を造形することができたのでした。この造形によって、新石器型の都市文明の進む方向に、のちのきわめてラジカルな変化がもたらされることになります。たしかにそれはひとつの革命でした。しかし、いったいそれはホモサピエンスの認知的流動性を本質とする心の構造にとって、どういう意味を持っていたのでしょうか。一神教と呼ばれるものが、そこから発生することになったのも事実です。しかし、一神教とはホモサピエンスの心の構造にとって、いったいどんな意味を持ち、どんな働きをしたのでしょうか。

こういう問いが立てられたこともめったにありませんし、たとえ問いが立てられたにしても、それに満足のいく解答があたえられたこともありません。しかしそういう問いが立てられなければなりません。この地球上における人類の命運にとって、それが重大な意味を帯びた問いとなりつつあるからです。はたして、モーセの革命は人類にとって必要なものであったのか、それともひとつの巨大な倒錯をつくりだしたにすぎないものであったのか、イメージの洪水によって溺《おぼ》れかかっている世界の只中を生きている私たちは、いまこそ真剣にその問いを立ててみなければなりません。

7 エクソダスの映画化

シェーンベルク（一八七四―一九五一）のようなまじめな芸術家は、この問いの前に大いに苦しみました。二十世紀のこの偉大な作曲家はみずからユダヤ人として、この問いを真っ正面から引き受け、新しい音楽を創造することでそれに解答をあたえようとして、努力に努力を重ねた人です。

音楽は絵画などに比べると、抽象の度合いが高い芸術だと言われています。たしかにそう言われてみれば、音楽を構成するひとつひとつの音響には、もともと固有の意味などというものはありませんし、具体的なイメージをかき立てやすいものでもありません。おまけにヨーロッパでは、音楽でなにか外の世界に実在しているものを描写するというようなことを嫌う、芸術音楽というものが教会音楽から発達してきました。そこでは音響を組み合わせてつくりだされる音楽そのものが、いたって抽象的なできあがりをしています。バッハの音楽のことなどを考えてみれば、そのことがよくわかるでしょう。

ところが、その音楽に歌がつくと、話が変わってしまいます。人間の声には「甘い声」もあり「威厳のある声」もあり、「愛らしい声」や「軽やかな声」もあります。抑揚のつけ方、イントネーションの配置、強弱の調整などをデリケートにほどこしていくと、歌の付いた音楽は、ときどき絵画よりも豊かな描写力や感情の表現力、つまりはじつに豊かなイメージを表現することができるのです。このことは、とくにイタリア・オペラを聴いてみるとよくわかることで、人間的な、あまりに人間的な感情を表現するために、音楽はすばらしい能力を発揮します。

ところが、シェーンベルクは歌の持つイメージ喚起力そのものに疑いを抱いていました。音楽は人の心のもっとも深い部分でおこっている、根源的な思考のプロセスそのものを表現するものでなければならない、と信じていた彼は、音楽からできるだけイメージ喚起力をそぎ落として、なんというか、裸になった心の働きそのものを、音にあらわそうとこころみたのです。あきらかにそこには、モーセの思想からの巨大な影響を見ることができます。芸術は人を安易に楽しませるものであってはならず、むしろ神とヒトの本性に向き合わせるものでなければならない。このように考えていたシェーンベルクは、ついに晩年にいたって、モーセのエクソダスを主題とする歌の劇、すなわちオペラの作曲に取り組むにいたったのでした。『モーセとアロン』という彼の最後のオペラはとうとう未完成に終わりましたが、その過程で彼の取り組んだこころみは、とても興味深いものです。モーセの神は自分を表現するのに、いっさいのイメージの働きを拒絶しようとしました。とりわけ、偶像の神々を表現するときに使われる第二・第三群のイメージが、自分に触れることを極度に嫌いました。それならば、モーセはヤハウェに向かって、歌によってどう語りかければいいのでしょう。モーセがヤハウェとおこなう対話は、どのように「歌われれば」よいのでしょうか。

試行錯誤を重ねたあげくに、シェーンベルクはこの問題に、じつに深遠なやり方で答えをあたえました。なんとモーセは歌わないのです。そのかわりに、雄弁家で力のある魔術師でもあった兄のアロンが、さかんに歌うのです。民衆の要求に負けて、黄金の牛の神の像をつくり、その前で魔術的な儀式をとりおこなっている現場を、モーセに取り押さえられたアロンは、弟のめざしていることの過酷さを批判し、音楽は魔術と同じように、民衆の心に喜びをもたらすものでなければならない、と訴えます。つまり、アロンは宗教と芸術におけるイメージの喚起力の側に立ち、モーセはイメージの喚起力の否定をめざす芸術と宗教を求めたわけです。

＊

しかし、大衆芸術の華である映画産業の申し子のような人であった、セシル・B・デミル監督にとっては、シェーンベルクが生涯をかけて取り組んだ問いなど、なんの意味も持っていなかったようです。彼は資金面のことでは大いに頭を悩ませたようですが、こと自分のつくろうとしているエクソダスをテーマとする映画の中身については、ほとんど苦悩の痕跡すら残していません。それに、映画『十戒』をつくろうという動きは、当時のアメリカ在住の経済力のあるユダヤ人大半の総意でもありましたから、彼らの応援も得て、監督はエジプト脱出の映画制作に、こぎつけることができたのでした。

それにしても、なんとも皮肉な話ではないでしょうか。モーセの伝記を描くこの映画の中では、どうしたって自分の像を刻んではならない、偶像を拝んではならない、と強い要求をユダヤ民族につきつけてくるヤハウェとモーセの対面の場面が描かれなくてはならないでしょうし、イメージ表現の可能性を完全に否定する十戒をヤハウェが石に彫りつけるシーンも出てくるでしょうし、黄金の牛のまわりで歌い踊り飲み楽しんでいる民衆のすがたを見て、怒り心頭に発して虐殺の行為に出たモーセのことなども、ちゃんと描かれなくてはならないことでしょう。イメージを否定する思想を、イメージで描けと言われているのです。

しかし、セシル・B・デミル監督は、そんなことで映画制作者としての自分の意志をぐらつかせるような、やわな人物ではありませんでした。エクソダスの物語は映画制作者にとって、前々から魅力あるテーマでしたが、それを映画に撮るには莫大な予算が必要となります。それがつくれるお金を調達できるのは、ユダヤ人資本しかありません。しかもユダヤ人社会じたいも、聖書の物語の映画化を熱望していました。イメージの魔力を否定する思想を主題にする映画がイメージ産業の手によってつくられるという、まことに皮肉にみちた成り行きで、このハリウッド超大作映画は生まれたのでした。

のちの一神教につながるモーセの思想をラジカルに追求していけば、映画はおろか絵画も描けなくなってしまうでしょう。そしてじっさいキリスト教の教会でも、初期にはキリストの像などは描かれず、魚の印章を描くだけといった、いたって抽象的な表現に抑えられていました。むろんモーセ直系とも言えるユダヤ教のシナゴーグにも、イスラム教のモスクにも、神の姿を像に描いたものはありません。イスラム教のモスクで印象的なのは幾何学模様が美しく描かれてはいても、どこにも神の姿などは描かれていないことです。

イスラム教の考えでは、神が人間の声で語りかけてくるなどということは、考えることさえ許されないことです。声には物質性があり、それに乗せて意味あることばを語れば、それだけでイメージの力の領域に落ち込んでしまいますから、神の姿や形を絵に描くのと同じほど、許し難い行為となると考えられるからです。

一神教はイメージ的な文明を否定しようとした宗教思想です。旧石器時代以来、人は自分の心の奥深くに進行しているものごとを、二次元のスクリーンに投影したり、三次元の動く身体が演じる儀礼などによって、それを心の外に投影し、その倒錯した像をとおして心の本質を見つめようとしてきました。その機構は映画の先駆をなすもので、宗教が凋落《ちょうらく》していった時代に娯楽の王者に躍り出たものですが、その内部にはホモサピエンスの心の構造そのものに対応する、おそろしく考古学的・人類学的な古い特質が保存されています。

一神教の宗教思想の領域では、イメージ派は敗北します。イメージを否定することによって、旧石器時代以来の宗教思想に終止符を打とうとしたヤハウェが、この領域では絶対的な勝利をおさめたと言っていいでしょう。そこからユダヤ教、キリスト教、イスラム教が成立することになったということは、みなさんもよくご存じでしょう。ところが、キリスト教世界の中に産声を挙げ、ユダヤ資本が育て上げた映画産業の中で、モーセの思想は手ひどく裏切られ、苦い敗北を味わっています。ヨーロッパには原理主義は育ちません。映画の中に組み込まれた古代的な思考が、いつしかモーセの冒険の意味を飲み込んで、おいしい食べ物につくりかえてしまいました。

これに対して、イスラム教の人々は実に実直な対応をしました。彼らは神を像で表現しようとはしませんでしたし、最近の原理主義集団タリバンがとっていた政策を見てもわかりますように、映画やビデオを見ることさえ、アッラーの御心に反することという頑《かたく》なな態度を貫こうとして、逆にアングロ・サクソンの同盟軍に手ひどく痛めつけられることになったのは、みなさんのご記憶にも新しいでしょう。アメリカは彼らのことを全体主義と批判しましたが、ほんとうのことを言えば、全体主義こそ映画を好むものです。全体主義の中には、どこか映画的でしかも古代的な本質が隠されているようです。

キリスト教の世界である西ヨーロッパで映画が生まれ、その映画をモーセの民であったはずのユダヤ民族が一大産業として発展させました。なんという矛盾に満ちた現象ではありませんか。どうやら私たちは、ヨーロッパは一神教の世界であるとか、一神教と多神教は対立しあっているとか、そんな安易な考え方をすることは許されないようです。エクソダスの思想は、今日どのような意味をもつのでしょうか。エクソダスは厳密に考えれば、「イメージの威力からの脱出」ということを意味していますが、一神教のやり方でそんなことに本当に成功した社会的実例など、かつてひとつも存在してこなかったのかも知れません。

8　一神教の彼方へ

ここから先は一種の思考実験です。

新石器的な宗教は、私たちがイメージの第二群と第三群と呼んでいるイメージの威力を使って、偶像をもつ神々とそれと結びついた権力の形態（王権から帝国へいたる権力の諸形態のこと）を生みだしてきました。モーセの革命は、そういう新石器的宗教を超克しようという意志をはらんでいたように見えます。そのために、モーセの前にあらわれたヤハウェという新しいタイプの神は、自分にいっさいのイメージ喚起力がまとわりつくことを拒否して、非イメージ的なことばの象徴力だけによって、自分の威力を示そうとしたのだと、考えることもできるでしょう。

その結果、ヤハウェという神は、新石器的宗教の神々とのはげしい対抗と敵対の関係に入ることになりました。イメージの力にたいしてことばの象徴力で対決し、非イメージ的なものの威力をもってイメージの力を制圧しようとしたからです。こうしてはじめは「神々の中のもっとも威力あるものとしてのヤハウェ」というステージから出発して、ついには「神と呼ばれるものはほかにはない、唯一の神」という、強い主張にたどり着くこととなったわけですが、多神教の神々は敵であると同時に、たえずイメージの力のほうに一神教の思考を引き寄せようとする誘惑者として、いっこうに存在意義をなくすことがありませんでした。

『パッション』のような肉感的なイエス映画がつくられたり、異教的な母神崇拝の考えによってキリスト教に異端的な解釈を積極的にあたえようとする『ダ・ヴィンチ・コード』のような小説がベストセラーになるまでになってしまった、キリスト教世界の実例をながめていますと、モーセの宗教はとうとうイメージの神々をみずからの内部に全面的に迎え入れ、事実上の敗北を喫しているのではないかなどと考えたくなってきます。ホモサピエンスである私たちの心の奥にひそむ映画的構造によって、モーセの偉大な企画は当の一神教世界でも、すでにすっかり骨抜きにされているのかも知れません。偉大な一神教のプログラムは、おそらくは失敗したのだと思います。

そこで私たちは、非宗教的な社会である日本に生まれたことの利点をフルに生かして、モーセ的な一神教とは別のやり方をとっても、新石器型宗教からのエクソダスは可能なのではないか、というアイディアを思う存分に伸ばしていってみようと思うのです。一神教プログラムの失敗の原因は、新石器型宗教からのエクソダスを、イメージの第二群・第三群のいわば「上」のほうに抜け出していこうとしたところにあったと思われます。イメージの力による神々の「上」のほうに、非イメージ的なことばの象徴力を威力の源泉とするヤハウェを創造することによって、モーセは新石器型宗教の超克をはかろうとこころみました。その結果、多神教の神々とはたえず抗争し続けなくてはならなかったのですし、長い闘争の果てには、イメージの洪水にふたたび飲み込まれていく現代世界を、目の当たりにしなくてはなりませんでした。

＊

しかし、別の道はたしかに存在しています。モーセのプログラムとはむしろ逆の方向へ向かうことによって、新石器的な宗教と権力の構造を超克する、別の道があるはずなのです。いま私が思っているのは、つぎのような二つのオルタナティヴな道です。

①唯物論が開こうとした道

古代以来の唯物論は、第二群と第三群に属するイメージの働きを、幻影的なものとしてしりぞけてきました。第三群のイメージは現実の上にイデオロギーのヴェールを被せて、それを歪めて見せるようにします。イデオロギーということばはプラトン哲学の「イデア」から来ていますが、このことばでプラトンは現実世界の奥に隠されている真実世界のことをあらわそうとしました。しかし、唯物論の思想は、それは真実の世界などではなく、現実の上に仮想された脳の働きのつくる幻影だと考えたのです。そればかりではなく、イデオロギーは自分を合理的なものに見せかけるために、物語の構造をうまく利用してきました。これは第三群のイメージ層にならたやすい芸当でしょう。また、唯物論はイメージ第二群の作用にも、疑いの目を向けてきました。それが、イメージ第一群の運動や働きを恐れる気持ちから生まれてきたもので、運動を静止に向かわせ、多様な方向に飛び散っていこうとするものに無理矢理思考によって統一をあたえたり、もともと同一性のないところに同一性をつくり出して、操作をたやすくしたりする働きをしているからです。

古代以来の唯物論は、そういう理由でイメージの第二群・第三群の働きを否定して、その奥に、運動と生成をくり返し、同一性をたえまなく解体して、多様な方向に自由に伸びていく差異の運動としてくりひろげられている、裸の現実世界を押し開いていこうとしたのです。その結果、彼らは流動的知性の存在と運動を直接的にしめしている、イメージ作用の第一群のほうに向かうことになったのです。「クリナメン」などという古代唯物論の概念が、それをよくあらわしています。「クリナメン」は原子の運動をあらわそうとした概念です。原子は同じ方向に進むことをせずに、思いもかけないところで方向転換をしたり、斜めに軌道をそれていったりしますが、それが「クリナメン」です。私たちはすでに、イメージ第一群に属するものが、心の内部空間においてまったくそれと同じ動きをすることを知っています。唯物論は「観念的イメージ群」の働きをないがしろにして、その奥からイメージ第一群に直結している「唯物論的イメージ群」を引き出すことによって、新石器型宗教の陥ったイメージの罠から、人類を抜け出させようとしました。彼らは彼らなりのやり方で、イメージの魔力からのエクソダスを敢行しようとしていました。

②仏教の選んだ道

新石器型宗教は国家という幻想と結びつきやすい性質をもっています。それから抜け出すために古代インドの宗教者たちは、信じられないような苦行をすることで、欲望を断ち切って（第三群のイメージの魔力から脱出するために、そうしているのでしょう）、自分の存在を石ころや樹木や水に近づけていき、かぎりなく物質に近づいていこうとしていました。それもまたエクソダスのこころみだったことには間違いありませんが、ブッダは自分もそういうエクソダスの探究を試してみたあとで、それではだめだと悟ったのです。人間の本質をつくっているのは「心」であり、しかもその「心」の本体は流動的知性のしめす無限の働きであると考えたブッダは、第二・第三のイメージ群の作用を突き破って、「心」

の本体にたどりついていくやり方を生みだしました。「心」のない石や水になっていくことで、欲望の世界からのエクソダスが果たされるのではなく、流動的知性としてつくられている私たちホモサピエンスの「心」の本体を知ることによって、脱出していこうとするまったく新しい道を、ブッダは見つけ出したのです。

私たちの心を縛っているイメージ第三群の働きから自由になっていくために、それが幻影としてつくられたものであることを知るのが第一歩です。そこから進んで、世界のものごとに同一性や個体性を生みだしていくイメージ第二群の作用を解体するための、「中道を歩む」実践を積み重ねなければなりません。そして、そこから身体を使ってイメージ第一群の深い層に踏み込んでいく実践を通して、流動的知性に直接触れていくのです。

ブッダは自分のおこなっている探究が、当時の世界をかたちづくっている新石器的な宗教や思想から、根底的に抜け出していくことを目的としていることを、はっきりと自覚していました。まったく驚くべき覚醒だったと思います。ブッダはエクソダスをめざすもっとも確実で、もっとも正しい道を自分は見いだした、という自覚をもっていました。

＊

唯物論と仏教に代表されるような、イメージの魔力からのエクソダスをめざすオルタナティヴな道はすべて、ホモサピエンスの心の原初的な構造に向けて、一神教とは逆の方向へ歩んでいこうとしていました。モーセのめざしたヤハウェの道はまことに偉大な道ではありましたがが、イメージの魔力の上に立つ「メタ・イメージ」の方向に抜け出そうとして、かえって自分のまわりに物質的な力を呼び集めてしまったのではないでしょうか。モーセ革命のやり方だと、かえって宗教を巨大な映画館にしてしまう可能性があり、じっさいそこから発達したユダヤ教もキリスト教も、世俗的なかたちを取るときには、どこか陳腐な映画のように見えてしまいます。ハリウッド映画がそのカリカチュアです。人類はまだエクソダスを果たしていません。私たちはいまもエジプト王国の住人なのです。二十一世紀の新しいエクソダスのこころみがあらわれなくてはなりません。

第二章

映画はキリスト教である

――ピエル・パオロ・パゾリーニ『奇跡の丘』

1　人類最初の写真被写体

昨日は、映画を否定する一神教という話をしました。人類の認知構造として見る限り、宗教は映画ときわめてよく似た成り立ちをしています。宗教の思考をかたちづくっているイメージ群の構成と、映画を成り立たせているイメージ群の構成は、ほとんど同型と見なせるからです。とりわけそのことは、新石器革命と呼ばれる新しい文化システムの中で発達した宗教について顕著です。長い歴史の厚みを持つこの新石器型の宗教思考を、一神教は否定的に乗り越えようとしましたが、そのときモーセをはじめとする一神教思想の創始者たちによって、揺るがぬ確信をもって語られた主張を、今日の自由な視点から見直してみますと、それは「映画としての宗教を超克する」というところに行き着くのではないだろうかというのが、昨日の話の要所でした。

今日はさらにそこから一歩を進めて、そういう一神教を土台にして出現したキリスト教の本質に、踏み込んでいこうと思います。この講義ではドイツの唯物論哲学者フォイエルバッハの宗教論を、ひとつの出発点にしていますが、そのフォイエルバッハの主著はほかならぬ『キリスト教の本質』です。キリスト教のことがわかれば宗教のことはだいたい理解しつくせるというのが、フォイエルバッハの考えですが、私の考えではより正確に、キリスト教のことがわかれば新石器型宗教の本質はほぼわかる、ということになります。イエスは人類を根源的な罪から救済するために十字架についたと考えられていますが、私たちにとっては、一神教の思想で否定された宗教の映画的構造を救済したイエスの存在というのが、大きくクローズアップされてきます。一神教から映画を救い出した救済者としてのイエス・キリスト。今日の話は、そのことが中心となります。

写真史や映画史の本をひもといてみますと、たいがいの本に、最初に出現した写真機は、ピンホールの原理を利用して、暗室の壁に外の景色を逆さまにして映すダゲレオタイプという装置だった、と書かれています。暗室の壁にあたる部分に、微量な光でもすばやい化学反応をおこす銀の化合物の溶剤（興味深いことにその溶剤は「乳剤」と呼ばれることになりました。この名称は精神分析的のみならず神学的にもきわめて興味深い意味を含んでいますが、そのことはまたあとで詳しくお話ししましょう）を塗った乾板を設置して、露光をおこさせるわけです。露光した乾板を別の化学物質にひたして現像すると、そこになにかのイメージが「ネガ」としてあらわれてきます。このネガをもういちど反転させると、いよいよ写真のイメージがあらわれてきます。

ところが、キリスト教の伝統のなかでは、それとはまったく別のかたちの「写真」の創成が語られています。しかも驚いたことに、この別のシステムによる「写真」の、人類最初の被写体となったのは、イエス・キリストその人であった、と考えられているのです。この話、あまりに荒唐無稽に思われるかもしれませんが、この「写真」をわれわれのシステムで撮影した多くの実物写真に目をこらしてみたり、また入念にくり返されてきた科学的研究の記録などを読んでみますと、どうも一笑に付してしまうのは畏れ多い、と言うか、まことにもったいない、人類の珍品であるように思われてきます。

イタリアのトリノ市の大聖堂に、その「別のシステムによる写真」は「聖骸布 The Holy Shroud」として、中世以来大切に保存されてきました。

この布については、つぎのような言い伝えが、今日まで信仰深い人々の間に伝承されています。

長さが約四・四メートル、幅が一・九メートルほどあるこの古い亜麻布は、これまで何世紀にもわたって、イエス・キリスト本人の遺体を包んだ経帷子《きょうかたびら》としてあがめられてきた。というのも、この布には、死亡した男の正面と背面の全身像が、うっすらとした影のような姿で浮き出ているのである。セピア色に染まったそれらの全身像の手首と両足とわき腹のあたりには、血痕とおぼしき赤みがかった染みもついており、そのいずれもが、一見したところ、最も残虐なやり方で処刑された人物の遺体が布の下半分に横たえられたところへ、残り半分の布を上から折りたたんでかぶせたときに、傷痕が布に付着してそのまま染みついたように思われた。しかも、これら血痕とおぼしき染みの位置は、イエスが磔刑に処せられた様子を伝える福音書の記事の内容と、おおむね一致していたのである。(トリス

タン・グレイ・ハルス『トリノの聖骸布』、五十嵐洋子訳、主婦と生活社、一九九八年）

この亜麻布の存在は早くから知られていたとみえます。キリストの顔をはじめて図像に描いてみせたのは、東方キリスト教会のいわゆる「イコン」ですが、そこにはこのトリノの聖骸布の上にぼんやりと浮かび上がっている男の顔に酷似した、長髪に髭をたくわえた地中海系の男性の顔が描かれました。そのために、イコン画家たちはイエスの顔を描くのに、この聖骸布をモデルにしたのだと言い伝えられてきました。後世に描かれることになったイエス像のすべてが、イコンの伝統から大きな影響を受けましたが、そのことを考えてみても、イメージの宗教であるキリスト教にとって、イエスの全身像を記録したと信じられているこの亜麻布の存在は、大きい意味をもっています。

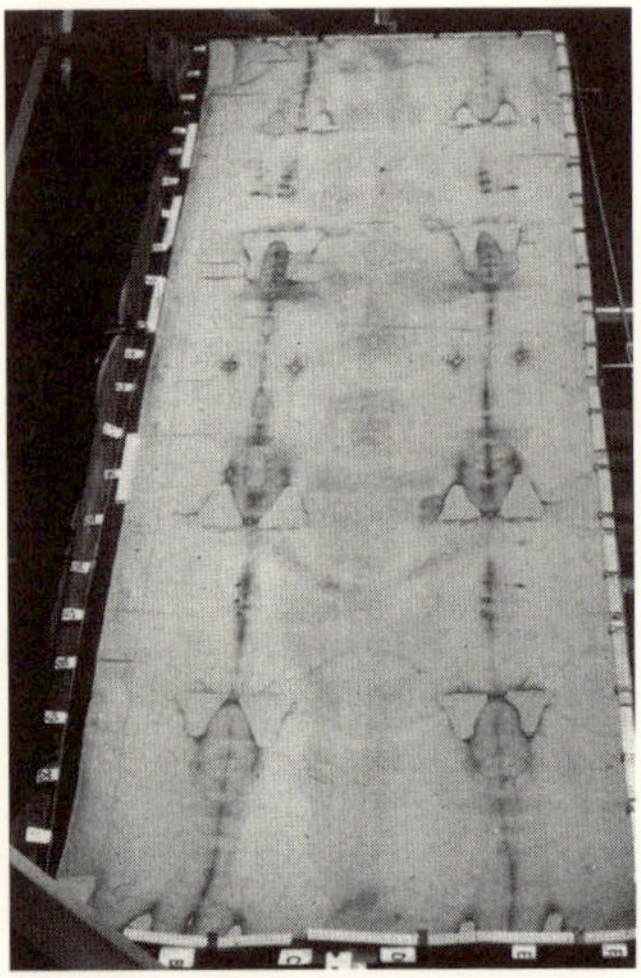

『トリノの聖骸布』より

それにしても不思議なのは、聖骸布には男の顔の部分に黒ずんだ染みのようなものが映っているだけで、ここは髪だろう、口がそこにある、たぶん髭はそれだろうぐらいは推測できるものの、はっきりとした顔の輪郭をそこに認めるのはなかなかに困難な状態で、どうしてそこからあのイコンに描かれているようなイエスの顔のイメージを得たのか、理解に苦しむところです。まあこの辺の話は信仰に関わることですので、不合理な話がまかり通ってもいたしかたありませんが、この曖昧な状態に終止符を打って、聖骸布に近代的な意味をあたえ、新しい論争の舞台に持ち上げたのは、ほかならぬ写真術の発明でした。

＊

一八九八年と言いますと、近代的な写真術というものが発明されてから数十年、技術はまだ十分な発達をとげていない頃のことでしたが、トリノの大聖堂で久しぶりにキリストの聖骸布のご開帳がおこなわれることになりました。このたびは時代の要請もあって、新しい記録技術として注目を集め始めていた写真による、この奇跡の聖遺物の撮影が許可されることになりました。教会はプロ・カメラマンによって技巧的に撮影されることを好まず、なぜかトリノ在住で当時いくつかの写真コンクールで賞をとっていた、セコンド・ピアという弁護士のアマチュア・カメラマンに、この大役をまかせると通知してきました。

ピアはこのお声掛かりに大いに身を正して、聖骸布を安置してある祭壇の正面に足場を組んで、撮影にとりかかりました。昼間は参拝客が引きも切らない混雑ぶりなので、撮影はどうしても夜ということになります。となると、問題は照明でした。その当時の電灯は撮影に十分な明かりを確保するには暗く、不安定で、しかもときどき切れてしまいます。第一回目の撮影のときは電灯の不調で中止のやむなきにいたってしまいました。もうあとがないピアは、三日後の夜に意を決してカメラに向かい、不十分な電灯の明かりを頼りに、たっぷりと時間をかけて、二枚の乾板を感光させました。その乾板をかかえ、夜更りの街路を歩いて自分のスタジオにたどりついたピアは、さっそく現像にとりかかったのでした。

するとピア自身まったく予想もしていなかった現象が、目の前に浮かび上がってきたのです。「現像にとりかかったシニョール・ピアも、そのような薄ぼんやりとした画像が乾板に写っているものと思いこんでいた。ところが、ネガができあがってピアが実際に目にしたものは、聖骸布本体に浮かんでいるおぼろげな像ではなく、聖骸布に印された人物の姿をあますところなく描きだし、細かい点も極めて克明に再現した全身像だったのだ」(前掲書)。このときピアが撮影した写真のネガが残されています。これを聖骸布の本体の写真と並べてみますと、一目瞭然です。つまり、聖骸布にはイエス・キリストと目される男の像が、なんとわれわれの写真と同じネガで写し取られ、そのネガをネガとして反転させてみたとき、鮮明

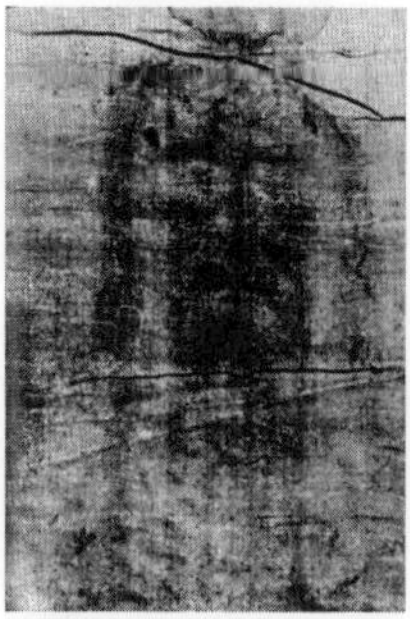

原物のポジイメージ。ぼんやりとした影にしか見えない

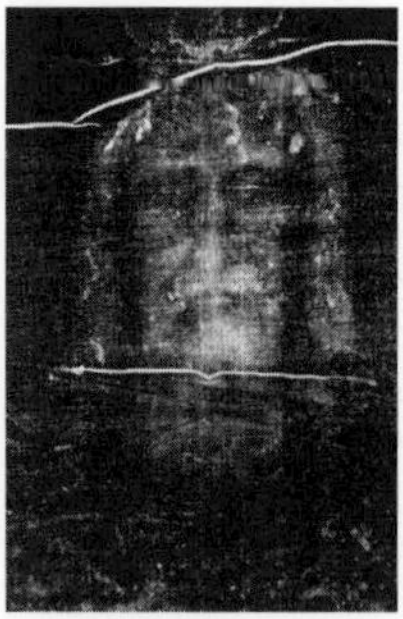

ネガに反転すると「男」の顔がはっきり浮かび上がる(同前掲書、2点とも)

な全身像があらわれたのです。

どうしてこんなことがありえたのでしょう。以前から疑り深い人たちは、聖骸布なんてものは中世の画家がでっち上げた捏造品《ねつぞうひん》だという主張をしていましたが、描かれているのがネガだとすると、この主張は難しくなります。ネガで絵を描くことくらい難しいことはありませんし、そもそも偽造品をネガで描く必要などがあったのでしょうか。例によって、こんな手のこんだことをするのはレオナルド・ダ・ヴィンチ以外には考えられないと主張する人たちもおりました。

ではこれが捏造品ではないとして、どうやって亜麻布にネガ画像が定着するなどという現象がおこったのでしょうか。いろいろな説が出されました。遺体に塗った油が揮発して、布に付着したという説などは、なかなか説得力があるように見えましたが、困ったことにその定着画像がネガであることの説明にはなっていません。なかでもっとも信者たちから支持されたのはつぎの説、つまり復活の瞬間にイエスが発した驚くべき霊的エネルギーが、ネガとして亜麻布に痕跡を残した、というものでした。しかし、残念ながらそれでは説明になっていません。

＊

いずれにせよ、ダゲレオタイプの原理によらない、別のシステムによる「写真」が、イエスと目される男の全身像を記録したことだけは事実です。遺体に接触していた布にネガ画像を残すことのできるそのオルタナティヴな「写真」システムが、どういう原理にもとづいているのか、ぜひとも知りたいところですが、残念なことに科学者たちはそういうことには、あまり関心をもっていないようです。しかし、イメージの構造と運動として宗教の本質をとらえようとしている私たちには、別の意味で聖骸布の存在はとても大きな意味をもっているように思えます。

ネガに浮かび上がった男が、はたしてイエスその人なのかどうか、それは中世の偽造品にすぎないのではないか、などという問題は、当面の私たちの関心事ではありません。それよりも重要なのは、いかにキリスト教がイメージの問題に深く浸透されているかという、事実を確認することです。人類で最初の写真被写体はイエスご本人であった、などという発想が生まれてくること自体、一神教をベースにした宗教としては、まったく異常なことと申さなければなりません。

それればかりではありません。この聖骸布は、埋葬から数日後におこったという復活の奇跡と、密接な換喩《メトニミー》関係で結ばれています。自分の全身像の映り込んだこの亜麻布を払いのけるようにして、復活をとげたイエスが、力強く石の床から身を起こす様子を、聖骸布は連想させるのです。聖骸布はある種の写真とみなすことができますが、そこには死を蹴り立てて立ち上がり、動き出す身体の運動が、潜在的なかたちで含まれています。つまりここにはすでに「映画的なるもの」が、潜在的なかたちで内包されているのではないでしょうか。こうしてみますと、聖骸布は写真術を先取りしているだけでなく、その先に映画の出現を預言しているとさえ、言えそうです。

キリスト教は宗教の映画的構造を乗り越えようとする一神教から生まれながら、いずれその一神教的原理を反転して、自分の内部から写真術を発生させるであろう、それどころか写真術を進めることによってみずから映画を生みだし、それを一大産業として大いに繁栄させていくであろう。聖骸布にはそのような預言が込められているように、私には思えてなりません。写真と映画を先取りするお方としてのイエス・キリスト。なぜ西欧で写真と映画が生まれ、驚くべき発達もそこでおこなわれ、またたくまに人類の文明全体の質を変えてしまうほどの影響力を発揮することになったのか、今日の講義では、そのことの秘密に迫ってみたいと思うのです。

2 一神教と旧石器型宗教

この「比較宗教論」の講義の場を利用して、私たちはここ数年、「対称性人類学」という新しい学問を構築する試みをつづけてきました。そこであきらかになってきたことのひとつは、私たち人類の「心」はひとつのトポロジーをなしている、という事実でした。

トポロジーは柔らかい幾何学と呼ばれているように、図形を伸縮自在に変形していっても変わらない性質を調べる数学として発達してきましたが、考えてみますと、私たちの心ももともとが大きさも決められないし、一定のかたちが固定しているわけでもない、伸縮自在な本質をもっています。心には大きさも形も決まった性質もありません。そういうなにかの「実体」が、脳の複雑な組織の内部を流動的に動きながら、「心」と呼ばれる働きをおこなっているのですから、その働きの本質を理解するためには、どうしてもトポロジー的な視点を採用する必要があります。

しかしそうは言っても、いったいどうやったらもともと捉えどころのない心を、トポロジーとして理解することなどができるのでしょう。私の考えでは、心のトポロジーを理解するための、もっともすぐれた対象が宗教なのです。宗教と呼ばれる現象をとおして、人は自分の心の内部で起こっていることを、無心にのぞき込もうとしてきました。じっさい宗教では、社会の中での価値づけなどは無視して、ひたすら「裸の状態」にある心を見つめようとしてきました。お金儲けに夢中になっている人にたいしては、経済のような心の本質の外にあるものの運動に引きずられていると、自分本来の心を見失ってしまいますよ、と忠告をあたえてきました。

宗教は心の動きをできるだけ社会的なものの影響力から遠ざけて、裸の状態にされた心がどんな運動や働きを見せるのかを、見つめようとしてきたと言えます。心をできるだけ柔らかい状態に揉みほぐしておいて、変幻自在なその本質を「神」や「霊」のおこなう超越的な活動として、ひとつのトポロジーとして捉えようとしてきました。その思考の痕跡の多くが、宗教における造形表現や神学的思考として、今日まで残されてきました。私たちは、それをとおして心のトポロジーへ深く入り込んでいけるのです。宗教のほかには、芸術と精神病理の領域が、心のトポロジーの探究に最適なフィールドを提供してくれます。そこでも、宗教と同じように、裸にむき出しになった心が、無心なトポロジー活動を見せているからです。

驚いたことに、人類はどうやら最初からそうだったようなのです。昨日も少しお話ししたことですが、いまから十数万年前のアフリカで、人類の「心」にとってまさに革命的な飛躍が起こり、私たちの直接の先祖であるホモサピエンスと呼ばれる人類が出現しましたが、この新しいタイプの人類は、脳の組織（ニューロンの接合回路）を再編成することに成功して、今日の私たちがおこなっているのとまったく同じ思考能力や感情をもつ、「心の構造」を生みだしました。

自分たちの心の内部に発生した、この革命的変化の本質を確かめるかのように、「上部（後期）旧石器時代upper paleolithic」の人類は、宗教的活動を開始しています。興味深いことに、その最初の宗教的活動の重要な部分は、すべて洞窟の奥深くでおこなわれています。宗教的活動をおこなう洞窟の入り口が、日常生活の場所から離れたブッシュの中に隠されているところから考えますと、日常の社会生活を送っているときとは、根本的な違いをもった一種の結社ないし組合を組織して、洞窟の中に入っていったように思われます。

そうやって、日常生活を律している掟や常識から自由になって、心にほんらいの伸縮自在なトポロジー性を取り戻してやり、そこで何が「見えて」くるのかを、じっと待ち構えました。旧石器の人々はそのとき、自分たちの心の内部空間に「見えて」きたものを、イメージとして顔料をつかって岩壁に描き出そうとしました。現代の考古学者たちは、そこに描き出されたイメージが、大きく分類すると構造の違う三種類のイメージ群でできていることを見いだしてきました（この問題についてはDavid Lewis-Williams, *The Mind in the Cave*, Thames & Hudson, 2002といった本が参考になります）。これについては、昨日お配りした資料を、もう一度ごらんになってください。（四〇ページ）

第一群のイメージは、心の内部空間のトポロジーをもっとも忠実にあらわしている、原初性をそなえています。脳のニューロン構造の革命的変化によって、私たちが「流動的知性」と呼んでいるものが発生したことによって、比喩的言語や象徴表現をおこなうことの出来るホモサピエンスの「心の構造」がつくられたと考えることができますが、そのことを、旧石器のホモサピエンスは洞窟の中の宗教的活動をとおして知ったのでしょう。

日常言語の構造規制から解き放たれた心は、柔軟なトポロジーに変身をとげて、そのトポロジーの上に流動的知性がすみやかな運動をくりひろげるようになります。「内部光学entoptic」は、その運動の模様を視神経の励起に直接変換しながら、旧石器のホモサピエンスたちの眼前に、美しいサイケデリックな光の乱舞を、くりひろげてみせたのでした。

第一群のイメージをとおして、旧石器の人間たちは、自分たちの心の奥底に思考能力が追いつくことのできない超越的な力の領域が広がっていることを、理解したことでしょう。これをもっとも原初的なイメージ群とすると、ホモサピエンスへの「心の構造」の飛躍によって人類にもたらされたもっとも重要なイメージ能力は、とてつもなく抽象的な性質をもつものだったことになります。こういう第一群のイメージに着目していた旧石器の人々の宗教は、それゆえ今日の私たちがそう思いこみたがっているのとは反対に、きわめて抽象性の高いものだったと思われます。

＊

ところが興味深いことに、この第一群のイメージは、そののちに発達することになる新石器型の宗教では、もうあまり表面に出てくることが少なくなるのです。

かわってそこには、私たちが第二群・第三群のイメージと名付けた、もっと具象性の強い視覚イメージから発達をとげてきた神々の像が、宗教活動の中心となってきます。旧石器の人々が用いた洞窟に描かれたこうしたタイプの具象的イメージ群は、抽象的で非物体的な第一群のイメージの背後で動いている流動的知性の運動に直接接触するようなラジカルさを、外の現実世界の視覚像で覆って、表面から見えなくすることによって、心の内部空間と外面世界とのあいだに、折り合いをつけようとしているように見えます。新石器型宗教は、そういう意味では、旧石器型宗教のもっていた深さやラジカルさを失うことによって、宗教を社会性に結びつけようとしたのでしょう。

イメージの宗教とも言える新石器型宗教が盛んな時代になっても、古くからの結社や組合にもとづく宗教活動が消滅したわけではありません。それは神秘主義的な探究をおこなう少数の人々の間に、生き続けました。神秘主義の探究では、瞑想やトランスの技術が発達することになりますが、そうした身体を使う技術を使って、人々はあいかわらず第一群のイメージが触れている流動的知性の働きの中に、「真理」のあらわれを見いだそうとしてきました。その意味では、神秘主義というものを、イメージや象徴の探究と勘違いしてはならないと思います。むしろそれは、旧石器型宗教の生き残りとして理解する必要があるのではないでしょうか。

一神教はまさにそのイメージの宗教を否定しようとしたのでした。ユダヤ教の伝承する『モーセ五書』には、超越的な神の考え方の中に、少しでもイメージの思考法が忍び込んでいるのを発見すると、一神教の思想の創始者たちはそれを峻拒《しゅんきょ》する厳しい態度で、立ち向かおうとしていた様子が、いきいきと描かれています。とりわけ、当時ユダヤ民族を取り巻いていた中近東の諸民族の間では、発達した新石器型のイメージによる宗教が、国家や都市の考え方と結びついて、人々の思考法を強く支配していましたから、ユダヤの人々が打ち立てようとしていた思想は、むしろ異様なものに思われていたのではないか、と推測されます。

高度に発達した新石器型の宗教では、とりわけイメージの第二群・第三群に分類されるような、物質的・肉感的なイメージで表現される超越性の考え方が、大規模に組織化されていました。これらのイメージ群は、宗教と社会を媒介し、結びつける働きをしていました。宗教はどんなものでも、人間が自分たちの心の内部にその存在を直観する、超越的な流動的知性と、なんらかのかたちで触れあっています。具象的なイメージで描かれる神々は、流動的知性にそなわった超越性を、よく見慣れた現実世界のイメージと結びつけることで、衝撃を和らげようとしている、と言えるかも知れません。

それにたいして第一群のイメージは、その流動的知性との接触をなんの媒介もなしに直接的にあらわそうとしていますから、同じイメージとは言っても、第二群・第三群のイメージ構成体のように、社会的な意味にすぐに結びついていくものではなく、むしろそういう意味の社会性を破壊していくような側面をもっています。無意識の物質的なプロセスに直接触れているのが、このイメージ第一群の特徴ですから、それを「イメージの唯物論的な層」と呼ぶこともできるかも知れません。

そのために、こういう第一群の唯物論的イメージが触れているリアリティに重きをおいていた人々は、どちらかというと神秘主義の宗教にひかれたのですが、イメージの豊かな喚起力に否定的な態度をしめす一神教の思想は、奇妙なことにそのためにかえって、この「イメージの唯物論的な層」に近づいていくことになったのです。

『モーセ五書』に描かれた、ヤハウェとモーセの対面のシーンを思い出してください。はじめ山の神エル・シャダイの住処《すみか》であるベドウィンたちの聖山に登っていき、そこに燃える柴の木を発見したとき、モーセはそれが威力ある神エル・シャダイの顕現かと思い、かしこまっておりました。エル・シャダイという神じたいが、神々の中でももっとも威力のある神、いわば「グレート・スピリット」としての威厳をそなえていました。それは超越的な力の領域である神々の世界にそびえる「王」であった、と考えることもできます。イメージ論的に言えば、エル・シャダイはイメージ第一群にかぎりなく近い、超越的な領域にいる神と言うこともできるでしょう。

このエル・シャダイのような神は、グレート・スピリットとして世界中いたるところにいましたが、「神々の王」なのですから、どんなに超越的な存在だと言っても、神霊の世界を構成する他の多くの神々との連続性あるいは内面のつながりをもっています。イメージ論で言うと、第一群にかぎりなく近い領域にいるとは言っても、本質的には第二群・第三群のイメージが生みだされる想像力の空間に「軸足を置いている」と言えるでしょう。モーセもはじめはそう思っていたはずで、燃える柴にあらわれた神がつぎに語ったことばを聞いて、正直なところ愕然《がくぜん》としています。

ヤハウェと名乗るその見知らぬ神が、自分は他の神々の仲間ではない、と言い切ったからです。他の神々は像（イメージ）で自分をあらわそうとするが、私はそうではない、私が許すのはせいぜい名前を呼ぶことだけであり、その名前でさえめったなことでは口にしてはならない、とヤハウェは畳みかけるように、モーセに告げています。この発言を「対称性人類学」の言い方に翻訳してみましょう。すると、こうなります。

ヤハウェはそれまではエル・シャダイと同じような性質をもつ、グレート・スピリット的な超越的存在の一員にすぎないと思われていたのですから（現代の聖書学があきらかにしているように、アブラハムの前に最初にあらわれたというヤハウェは、たしかにそんな存在にすぎなかったのではないでしょうか）、向こうに広がる唯物論的なイメージ第一群と、こちら側の想像的なイメージ第二群・第三群を分ける境界面の近くの、あくまでもこちら側に属する場所を住処としている神と、見なされていました。ところが、この神がモーセに語ったところによると、自分はこちら側ではなく、向こう側に越境してしまっている存在である、だから「こんな風なかたち」とか「こんな風な姿」などと表現することは不可能で、ただ「ある」としか言いようのない存在だと言うのです。

＊

いまから三千数百年前、ヤハウェはイメージ論の決定的な位相において、軸足の微妙な移動をおこない、それによって向こう側への決定的越境をとげたのです。イメージ論の向こう側にモーセの神は突き抜けることによって、新石器型の神々の限界を超えた、と見なすことができます。そこには心の内部のどんな空間が広がっているのでしょう。それを知るには、イメージ第一群の内部空間のありさまを、よく探究してみなければなりません。

旧石器の洞窟内壁画や現代のいわゆる未開社会のグラフィック表現などにあらわされてい

るこのイメージ第一群では、真っ暗闇の中や特殊な幻覚性植物を服用したときに見えてくる、「内部光学」のくりひろげるサイケデリックな光の現象が、そのまま表現されています。この「内部光学」の現象は、ニューロンの中で活動する流動的知性の運動の、直接無媒介的な「投影」をあらわしていると考えることができます。あらゆる方向、あらゆる深さに向かって光の滴《しずく》がたえまない運動をくりひろげ、その中から独特な幾何学的なパターンがあらわれてきます。旧石器のホモサピエンスたちは、この現象を観察することによって、自分たちの心の内部に「銀河宇宙」が開かれていることを、認識していたように推測されます。

しかしその「内部光学」の現象は、さらにその奥で続けられている流動的知性の活動そのものではなく、それを視神経と脳の視覚野が構成する三次元的な空間に「投影」または「射影」したイメージであることを、忘れてはなりません。流動的知性の動きを、視神経の励起として直接無媒介に「写し取っている」とは言え、流動的知性そのものではなく、やはりイメージの一形態であることにはちがいありません。そう考えてみますと、モーセの神は新石器型宗教において全盛を誇っているイメージの神々が生みだされる心の層を突き破り、ただちにイメージ第一群を生みだすインターフェイス空間に踏み込んで、さらにその空間を抜けて、超越的な流動的知性そのものにまで、精神の削岩機を届かせようとしていたのだ、と考えることができます。

脳内の認知構造のすべての領域を自由に横断し、あらゆる「ソフトウェア」を有効に働かせながら、自分自身にはなんの特性も持たない（禅仏教の言い方を借りれば、「どんな形ももたず、どんな色ももたず、大きささえ限定されることがない」）原初的な知性が、私たちの心のあらゆる領域を貫いて流れています。それは思考や感情のおおもとになっている働きでありながら、どんな思考によっても、どんな感情によっても、完全にはつかまえきることができません。流動的知性そのものは、まったく超越的な働きなのです。

モーセの前に出現した神は、人類の認知構造を横断して、流動的知性の本体にまで手を触れている、強い意志をもった存在でした。人類に一神教の思考を開いたものは、かつて出現したことのない大胆な思考の横断者でした。この横断者は、人類に新しい可能性と禍々《まがまが》しい危険性への扉を開くであありましょう。二十一世紀の今日、人類が直面している危険の多くが、このとき可能性の種子を蒔かれたと言っても、言い過ぎではありません。

＊

はじめてかたちをなした一神教は、モーセの思想の直接の後継者であるユダヤ教でしたが、そのあたりの事情は、複雑なユダヤ教の構成のうちに、明瞭に痕跡をしめしています。一神教は当時全盛だった、イメージの創造力にもとづく新石器型宗教を否定し、乗り越えようとしましたので、思考の冒険の形としては、むしろ旧石器型の宗教実践の側に近づいていくことになっています。そのために、ユダヤ教の表現の中には、イメージ喚起力を完全に否定しさろうとする原理主義的な主張（こういう主張は、どこの世界でも大まじめな正統派の連中が好むものです）

と、超薄のインターフェイスとも言えるイメージ第一群の生起する空間をも、ユダヤ教の中に組み込もうとする考え方（この考え方は、「内部光学」現象のユダヤ教的な解釈である「メルカバの神殿の秘儀」を重視する、神秘主義的なカバラーの思想として表現されてきました）が、混在しています。

こう考えてみますと、人類の認知構造として見る限り、一神教という宗教の思想は、なかなか一筋縄ではとらえきれない、複雑な内容を抱え込んでいることがわかってきます。

	イメージ第一群	イメージ第二群	イメージ第三群
旧石器型宗教	＋	＋	＋
新石器型宗教（都市国家）	−	＋	＋
新石器型宗教（神秘主義）	＋	＋	＋
一神教（原理主義）	（＋）	−	−
一神教（カバラーなど）	＋	−	−

（＋は肯定的、−は否定的、（＋）は肯定的深化、をそれぞれあらわしている）

だいいち「モーセの革命」じたいが、新石器的思考から生みだされた都市文明が長足の発達をとげつつあるまさにその時代に、新石器型宗教のラジカルな乗り越えを目指すものとして遂行されたものであることを考えれば、そのパラドキシカルな性格も納得できようと言うものです。

ですから極端なことを言えば、一神教は新しいかたちでの旧石器型宗教の復活と言えないこともないのです。少なくとも、認知構造として見る限り、それは旧石器のホモサピエンスが創始した「はじまりの宗教」と、多くの共通点をもっています。ホレブ山の燃える柴の中にあらわれたモーセの神は、想像的なものや観念的なものを排除したところに出現してくる、という意味では、旧石器型宗教でもっとも重要な位置をしめていたイメージ第一群の仲間です（イメージ第一群のさらに奥にあるものに触れようとしている、という意味です）。それはホモサピエンスの脳に実現された、爆発的な飛躍が開いた心の働きにほかなりませんから、その意味では宗教的な比喩として「偉大な原初的な超越者」と呼ばれてもおかしくはないでしょうし、そのヤハウェが第二群・第三群の想像的なイメージにふくらんだほかの神々を、根底から否定しさろうとした意味も、よくわかります。「はじまり」に回帰することを「革命」と言うならば、モーセのおこなったことはまぎれもない革命です。モーセの神が、ホモサピエンスのうちに生まれた「はじまりの心」の本質に触れているからです。

キリスト教は、そのようにして発達をとげてきた一神教の思想的プログラムが行き詰まりを体験していた時代に、深刻な危機の中から出現した新しい思想だったのです。モーセは、宗教に内在している映画的構造を根源的に否定して、むしろ旧石器型宗教の中にひそんでいたひとつの原理（イメージ第一群の奥にある空間への踏み込み）を特別に大きく取り上げることによって、それを否定的に乗り越えようと図った人です。このモーセ的思想プログラムの抱える限界に、イエスは挑戦しました。「イメージの構造とその運動」をとおして宗教の本質を理解するという、この講義をとおして私たちが始めた新しい宗教論の探究にとって、イエス・キリストの思想はどのような意味をもっているのでしょう。あの聖骸布のことを思い起こしてください。私たちがここで問いたいのは、むしろ写真と映画にとって、イエス・キリストとは何者であったのかという問いにほかなりません。

3 イエス、映画的構造の救済者

一神教は旧石器型の宗教を「再発見」したと言えます。そして人類の脳内に出現した流動的知性の働きを、自らの「脳内の他者」として発見したのでした。唯物論哲学者フォイエルバッハが生きていたら、こう表現したことでしょう。

この流動的知性には、つぎのような三つの「思考を絶した」特性が備わっています。

①単純性・純粋性

これは流動的知性が、あらゆる認知領域を自在に横断していく純粋知性として、それ自体としてはいかなる「分別」にも染まらないもの、と考えられるからです。

②不変性・同一性

流動的知性はそれ自体としては、まったく変化をおこしません。「赤い」とか「甘い」とか言ったものの性質がもつ同一性とはまったく違う、同一性の同一性と言いましょうか、無性質で無特質の同一性が、どんなときも少しも損なわれないのです。

③過剰性・放射性

流動的知性はどんな認知領域にもおさまらない過剰性を抱えています。ジョルジュ・バタイユが考えたように、この過剰性のゆえに、人類のうちでホモサピエンスだけが、特異な運命をたどることになったと言えます。認知システムから、たえまなく溢れてくる力があります。流動的知性はこの過剰な力を、システムの限界を超えて放射し続けています。絶対的に同一でありながら、自ら放射する力でもあるもの。私たちの心の本質をめぐって、近現代の哲学がたどり着いた表現の多くが、流動的知性のもつこの矛盾した性質を言い当てようとしています。

興味深いことに、一神教の思想の創造者たちは、このうちの①単純性・純粋性と②不変性・

同一性という、二つの性質にだけ注目して、三つ目の性質を考えないようにしています。一神教思想が生まれた当時の、厳しい状況と環境を考えてみると、なんとなくそれは納得できる気もします。エジプト人たちから「ならず者」などと呼ばれていた、長いこと奴隷生活を続けてきた同胞（それもおびただしい数の）を指揮して、モーセは広大な砂漠の広がる過酷な自然環境を越えて、「蜜と乳の流れる土地」への旅を続けなければならなかったのです。そこでは自然な共同体を形成することなどは、不可能です。行動を規制し、行為に意味をあたえる法や戒律を打ち立てることが必要で、その法や戒律を支える力の源泉として、超越的な神がなければなりませんでした。

したがって、モーセに十戒をあたえる神は、絶対的に単純で純粋で、絶対的に不変な同一性を保ち続ける神である必要があったのではないでしょうか。もっともこれはあくまでも一つの考えにすぎません。セム語族の人類学的性格や思考の傾向性なども、このことに影響をあたえていたかも知れません。しかしいずれにせよ、ユダヤの民の宗教としてはじめてつくられた一神教では、超越の神は絶対的な単純さをもって同一性を支え続ける、力の源泉と思考されたのでした。

＊

イエスの思考は、最初からユダヤ教を支配している、そのような考えに挑みかかろうとしていたところがあります。イエスは、神は人を罰する律法ではなく、神は愛であると語っています。イエスはおだやかな「愛の人」「癒しの人」として、こんなことを語ったわけではないでしょう。イエスは一面きわめて苛烈な思想家でした。自分は平安をもたらすためにやってきた者ではなく、地上に火を放つ者であり、モーセの開始した思想の冒険の意味をひたすら遵守して反復するのではなく、モーセのうちにあっていまだに未完成である部分を正して、むしろそれを完成させるべく、この地上にやってきた者であるとも語っています。

イエスのこのことばは、対称性人類学的に理解してみる必要があります。愛はコミュニケーションの回路を開き、同一性を踏み越えて放射される力をしめしています。神は愛である、とイエスが語るとき、そこでは流動的知性に内蔵される、システムの枠を越えて放射される力のことが、語られているように思われます。キリスト教ではこのことをとらえて、イエスをモーセの思想の真実の拡張者として理解しようとしました。つまりイエスの考えは、モーセの一神教思想を裏切るものではなく、むしろそれを完成したのである、と言うわけです。たしかにそこでは一神教の原則は守られていますが、モーセ的な神では抑圧されていた流動的知性に備わる過剰性・放射性が表面にあらわれて、いっそうのふくらみが得られるようになったことはたしかです。

キリストは神の子であるなどという、一神教の原理主義からするととんでもない考え方にも、ここから新しい理解が可能になってくるでしょう。超越的な神に内在している放射力について、中世の東方教会の思想家たちはのちに、アリストテレスの概念を拝借して「エネルゲイア（エネルギー）」と表現するようになりますが、この便利な概念を使うと、イエス・キリストの存在論的な位置づけがはっきりしてきます。エネルゲイアはまだ現実の世界にはあらわれていない、潜在力のことを言っています。この潜在力が現実世界に触れ、「受肉」をおこすためには、潜在力と現実をつなぐ「インターフェイス」がなくてはなりません。「神の子」という表現は、インターフェイスという情報学的概念を、神学的に先どりした概念なのかも知れません。

ユダヤ教では超越的な神のしめす特質の中から、インターフェイスにかかわる考えは、完全に締め出されています。イメージによって神を表現する可能性を否定したとき、物体的なものと非物体的なものとの中間にたつインターフェイスの使用も、また禁じられたと言ってよいでしょう。しかしイエスは、神は愛であると語りました。神の愛はエネルゲイアの放射力として、宇宙を包み込んでいます。そして肉体をもった存在に触れて、現実の愛に姿を変えます。私たちの世界にあっては、愛そのものがインターフェイスなのです。

ホモサピエンスでは、母子関係がすべての愛の関係の原型を形成します。幼児の心の中で、母親の身体と自分の身体の中間領域に、愛をめぐる原初的な幻想がかたちづくられ、それは愛の感情の基体として、人の一生の間持続するものとなります。原型的な愛は、母子関係がかたちづくるインターフェイス上に発生する感情にほかなりません。キリスト教は、モーセ的な一神教の原則を破って、幼子イエスを抱く聖母マリアの像を受け入れようとしましたが、言うまでもなく、同じタイプの母子像はメソポタミアをはじめとする各地の新石器型宗教において、もっとも重要視されたイメージでした。

幼子イエスと聖母マリアを結んでいるのは、ほかならぬ母乳です。母乳がイエスのインターフェイス性を象徴しています。ところで、写真フィルムの表面に塗布されているものも、また「乳剤」と呼ばれているのではなかったでしょうか。感光乳剤は英語で「エマルションemulsion」と呼ばれますが、このことばはよく知られているように、「乳絞り」を意味するemulsusというラテン語から来ています。感光乳剤のエマルションは光とイメージを仲立ちするインターフェイスとして、「光の受肉」を手助けします。その関係は、神のエネルゲイアを肉体をもった存在と仲立ちしている神の子としてのイエスの存在様式と、まったく同型です。これはじつに驚くべきことではないでしょうか。

イエスは神のエネルゲイアを人間の女性の身体で受けて、肉体的・物質的世界とのインターフェイス上にあらわれた現象です。これにたいして写真術は、外界の光をフィルムの感光乳剤の上で受けて、それをイメージに定着させるインターフェイス技術です。そう考えてみると、イエスの存在そのものが、写真術を呼び寄せてしまうのかも知れません。

処女マリアの身体から生まれた神の子として、イエスは超越的な神の本質を愛として理解したのです。そのとたんに、イエスのまわりには写真的・映画的概念にかかわるものごとが、いっせいに集まり寄ってくることになりました。イエスは写真術とアナロジカルな方法で地上にあらわれ、死しては聖骸布という神聖写真術の被写体となった方なのですから、キリスト教の思想じたいにどこか写真や映画を思わせる特徴がひそんでいたとしても、不思議なことではないでしょう。

＊

人類の論理的に思考する能力は、過剰性や放射性や増殖性をはらんだものを理解しようとするときには、かならずと言っていいほどに「トリニティ＝三位一体」的なモデルを利用しようとします。木を木と言い、山を山と言い、水を水と言い、この世界のあるものを記号的な意味情報として伝えようとするときには、二元論のモデルで十分です。じっさい一切のものごとを情報化して記憶・計算・伝達するコンピューターは、0と1との二元論ですべての情報処理をすませています。

ところが、木がただの木ではなくなって、なにか詩的な意味を含蓄するようになるときには、それではすまなくなります。「意味」の平面から過剰しあふれ出してくる「価値」の問題が、発生するからです。意味平面を垂直的に横断していく第三の力を考えにいれなければ、価値の問題は思考不可能です。そのために詩学は、言語学とは違って、増殖を本質とする価値なるものを理解に組み込むために、三元論のモデルを採用することになります。

「二元論的な意味平面⊗無意識からの垂直的な力」が、正しい詩学に要求される三元論的モデルです（⊗は二つ以上のベクトルが影響を及ぼし合って、相互に捩《ねじ》れた関係をつくりだしていく様子を表現するための、「テンソル」と呼ばれる数学記号です)。

商品の場合にも同じような事態が発生していることは、『資本論』でマルクスがあざやかに分析しつくしています。ものが使用価値であるうちは、価値の増殖はおこりません。ところがそれが商品となって市場にあらわれるやいなや、それは交換価値に変身をとげて、価値増殖の可能性のある空間で、不確定な運動をはじめてしまいます。そのため商品の本質を分析し、さらにはその商品の巨大な集積体である資本主義というものを理解するためには、増殖の可能性をはらんだ空間を組み込んだ、強力な三元論のモデルを創造できなければなりません。マルクスはそれを実現するための試みの中で、しばしばキリスト教の三位一体モデルの有効性に言及しています。

イエスは超越的な神が、変化しない単純実体であるだけではなく、自らのうちから愛の力を放射するエネルゲイア実体でもある、という思考に道を開きました。神の愛は減りもしなければ増えもしませんが、愛の放射を直観する人間は、そこに何らかの増殖していく力の発現を感じ取ります。ここでも詩的言語や商品の場合とよく似たことが起きているのです。イエス・キリストの抱いていた思想じたいが、はじめから三元論(トリニティ)的でなければ理解できない構造をしています。だからキリスト教は、最初から写真と映画にとりつかれているのです。

*

いよいよ「映画としての宗教」というテーマの本題に入ってきたという感じがします。昨日の講義では、冒頭でいきなりホワイトボードに「イメージのトリニティ構造」を描き、それをごらんになって皆さんはさぞかし面食らったことでしょうが、ここまで話が進んでくると、その図の語らんとしていることも、なぜそれがキリスト教の本質と関係しているのかも、はっきりと見えてきているのではないでしょうか。

旧石器のホモサピエンスのもとでは、宗教の問題とイメージの問題は一体でした。深い洞窟の奥でくりひろげられた宗教活動は、壁面に描かれたイメージを中心に展開していた模様です。壁面に描かれたおびただしい数のイメージは、三つのグループに分類でき、そのそれぞれが認知の型に対応しています。第一群のイメージは流動的知性に備わっている放射力に直接的に触れているので、表現は抽象的で、「分別」や「意味」を超え出ています。第二群のイメージはその放射力を現実世界の具象的形態で覆うことによって、意味の生成を促します。さらに第三群のイメージでは、第二群としてあらわれたイメージ群に時間の秩序が導き入れられて、強力な物語が発動するのです。語られる物語である神話、演じられる物語であるある種の儀礼が、この第三群のイメージと深い関係を持っています。

いずれにしても、洞窟の壁面に描かれたイメージは、ホモサピエンスの認知能力の本質をなす流動的知性の本質を表現しており、その表現のおおもとになっているのは、流動的知性に内在する放射力そのものです。したがって、旧石器の洞窟に「はじまりのイメージ」として出現したこれらの絵画の本質を理解するためには、昨日の講義の冒頭で紹介したようなトリニティ構造をしたモデルの手助けを借りる必要があるわけです。

このモデルは、なにも旧石器時代のホモサピエンスだけにあてはまるものではありません。現代の写真技術やさまざまな映像技術のうちにも、まったく同じトリニティ・モデルが作動し続けています。どんな写真や映画の画面にも、スクリーン平面を垂直的に横断し立ちのぼってくる表現不能な放射力の実在を、私たちはいまだに感じ取ることができ、それが光のインターフェイス技術であることを思い起こさせてくれます。いまではただいたずらに、撮影された写真の数ばかりが増殖していっているように見えるでしょう。でも、ほんとうはそうではなく、一枚一枚の写真の表面をとおして、ホモサピエンスの本質をなす知性の原型的な働きから放射される力が、私たちの世界に渡ってこようとしているのです。

新石器型の都市的・国家的宗教では総じて、イメージ第二群・第三群が大いに肥大発達をとげて、唯物論的なイメージ第一群の働きを「被覆covering」してしまいましたから、旧石器の宗教にあったような原初的な透明感が、失われてしまったように感じられます。モーセはその「被覆」を破りさることによって、イメージ第一群の奥にひそむ超越的な力の領域に向かおうとする、新しい宗教思考を切り開こうとしました。それはそれはラジカルな試みだったので、モーセと彼の後継者たちが創造した一神教の思想では、第二群・第三群のイメージ喚起力のすべてが、神の表現としては禁じられたのでした。

ユダヤ教では、そのような神は「法」と結びついて思考されました。ところが、イエスはモーセが見いだしたその神が「愛」の力であると人々に語った、そのことによって、イエスは一神教の神をトリニティ構造として思考する、新しい道を開いたと言えます。私たちは、増殖力や放射力をそなえたものを論理的に思考しようとすると、人類はなんらかの形をした三元論モデルを採用する必要があり、そのモデルが全体性を備えているためにはトリニティ構造を取るようになる、と考えます。キリスト教の歴史では、まさにその通りの事態が進行したのでした。

生きたイエスの活動ののち、紆余《うよ》曲折《きょくせつ》をへながら発達していったキリスト教において、イエスやパウロの時代にはまだ明確な形では語られていなかった超越性をめぐる思想が、トリニティの構造としてとりだされ、思考の強力なモデルとして提出されるようになるのは、哲学思考に秀でたギリシャ人の活躍に負うところが大きい、と言われています。彼らはこう考えたようです。神はいっさいの思考を絶した超越者で、どんな認知領域にもとどまることなく、また捕捉されることがないために、絶対的な「単純性」や「純粋性」をその本性としているのです。これは私たちが流動的知性について掘り下げてきた考えと、根本的に同じと考えていいでしょう。

この徹底的な単純性と純粋性をそなえた神のうちに、三つの「ペルソナ」が見いだされるのです。変わることのない同一性を保ち続ける「父」性、その父から生まれ、父の本質をそっくりそのまま受け継いでいる「子」、そしてたえまなく霊的な力を放射し続けている「霊」の三つのペルソナがそれで、この三つはボロメオの輪のように解けることなく結びあって、一つの統一体をつくっている、これがキリスト教の考えたトリニティの構造です。

あきらかに、私たちが流動的知性に内在する性質として取り出しておいたものと、深い相同関係があるように感じられます。二つはたしかに一対一の対応ではありませんが、構造的にアナロジカルです。

*

もう少し詳しく説明してみましょう。「子」はいうまでもなくイエス・キリストのことをあらわしていますが、人間の母親の身体から生まれた人間でありながら、「父」である超越の神とまったく同一の本質を備えている、とトリニティ論は主張します。物体的・肉体的な存在の中で活動していても、イエスにあっては超越的な神としての本質は、まったく変化をおこしていない、と考えられたわけです。こうしてイエスは物体的なものと非物体的なものをつなぐ、インターフェイスの働きをするようになります。

しかし、このようなインターフェイスが出現してくる必然性は、流動的知性に内在する放射性からもたらされます。「父＝子」という結合体の中に、放射力が流れ込んでくるとき、人の子イエスは聖なる霊に充たされて、地上の活動に歩み出ていくのです。この現象はカトリック神学では、「霊の発出」として理解されていますが、私たちの洞窟壁画モデルで言いますと、イメージ第二群の生成と同じ機構です。参考までに、カトリック神学によるトリニティの理解

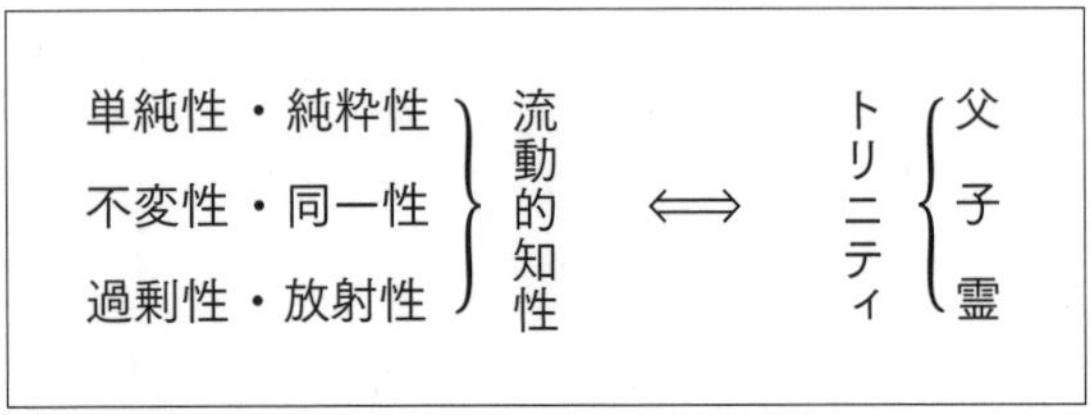

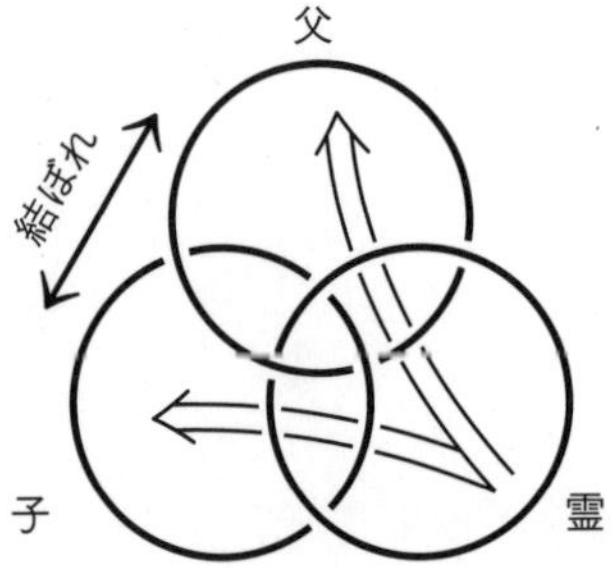

霊の発出

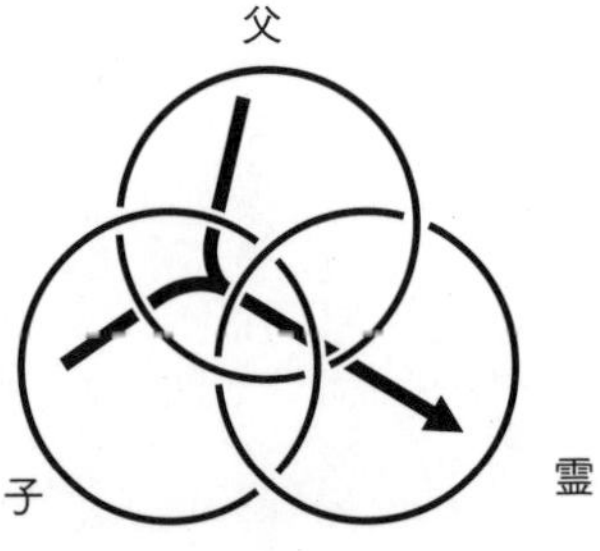

霊の吹発

を図示しておきます。三つのペルソナの間で、力の流動変化がたえまなくおこっているさまを、スコラ神学者たちはこのように描いてみせました。私たちの心の内面に生起していることを理解するためには、なかなか有効有用な図式です。

比較宗教学という学問は、いっさいのドグマから自由でいることができます。父と子と霊のトリニティのようなドグマにたいしても、自由な立場からの理解を加えることが許されます。この立場からすると、キリスト教が確立したトリニティ論は、ホモサピエンスの心の本質である流動的知性のしめすトポロジカルな性質を表現しようとする、さまざまな思考の試みの中での、一つの異型《ヴァージョン》にすぎないものと考える必要があります。それは神話の一つの異文《ヴァージョン》のようなものと同じです。

神話でも神学の場合でも、人は解決不能な、ときには論理的思考を拒絶する対象に取り組んで、それになんらかのやり方で理解可能な表現をあたえようとするときには、かならず複数の異文をつくり出す必要があります。神話の場合は同じ主題について、かならずと言っていいほど複数の異文がつくられ、語られます。ところが宗教的なドグマの場合には、そのうちの少数の異文、ときにはたった一つの異文だけが「正統」と認められて、ほかの異文は「異端」として禁止されることになります。

人類の心の構造を表現するトリニティ的トポロジーには、キリスト教によるトリニティ表現以外の、ほかの表現も可能です。とりわけこのキリスト教的異文は、インド－ヨーロッパ語族に特有な強力な父権性の思考によって統一されていますから、それを人類に普遍的なモデルとして採用することはできません。しかし、それがきわめて有能で強力な異文であったことは、認めなければなりません。こういう自由な立場で、これまでに登場してきたさまざまなトリニティ的モデルを、それぞれ対等な異文同士として扱ってみると、宗教論とイメージ論との隠された深い内的関連が、まざまざと見えてきます。「比較トリニティ論」のような新しい学問の分野を打ち立てることさえ、不可能ではなさそうです。

こうして私たちは、なぜ一神教を土台として発達したはずのキリスト教の中から、たとえばあの聖骸布のようなものが出てこなければならないのか、その理由を理解できるようになったわけです。モーセの思想から生まれた一神教は、神性のイメージによる表現を拒絶することによって、新石器型宗教の超克を目指したのですが、その内部に生まれ成長をとげたキリスト教は、自らが写真的・映画的存在となることによって、宗教の映画的構造の救済を試みることになったのです。しかし私たちがその中を生きている、イメージの洪水に溺れかかったこの世界が、その救済行為から生まれ出てきたことも、また間違いはありません。そのことが人類によいことばかりをもたらしたかと言えば、おそらく評価は分かれるところでしょう。

ところで皆さんの中には聖書をお読みになったことがない、という方もたくさんいることでしょう。どうです、イエスの生涯とその思想を知りたいとは思いませんか。そこで今日は『奇跡の丘』という映画を見ることにしましょう。イエス映画は数多く制作されてきたとは言え、この映画に優る作品はまだつくられたことがありません。監督はイタリアのピエル・パオロ・パゾリーニ。一九六四年の作品です。パゾリーニ監督は過激な左翼思想によって知られた人で、その人が最高のイエス映画を撮ったというのも皮肉な感じがいたしますが、じつはイエスの思想というものを知れば知るほど、マルクス主義者パゾリーニでなければ、イエスを正しく描けないだろうという確信さえわいてきます。長編ですが、ご一緒にどうぞ。

「奇跡の丘」

ピエル・パオロ・パゾリーニ監督　＝Vangelo Secondo Matteo　一九六四年　イタリア・フランス
〔写真協力　（財）川喜多記念映画文化財団〕

原題は「マタイの福音書」の意。マタイの福音書に即して、イエスの生涯を「処女懐胎」から「復活」まで、全九章だてで忠実に再現している。「イエスの誕生」では、マリアが精霊によって懐妊し、生まれた子にイエスと名付け、東方の三博士が贈り物を捧げる。「ヨルダン川にて」では、ナザレで成人したイエスがバプテズマのヨハネに洗礼を受けると、「これはわたしの愛する子、わたしの心にかなう者である」との声が天に響き渡る。「悪魔の誘惑」では、荒野で四十日の断食行を行い、悪魔と対決し、退ける。「山上の垂訓」では、イエスの噂を聞きつけ、多くの人々がイエスの許に集まるようになる。イエスの不思議な力に溢れた言葉に、心動かされる。「奇跡の数々」では、病の者を癒し、水上を歩いてみせる。「十字架への道」では、イエスはユダヤ教の長老や司祭に殺されることを承知しながらも、エルサレムをめざして、布教の旅を続ける。「最後の晩餐」では、エルサレムに着いたイエスは長老達の偽善を責め、最後の審判の日が近いことを説く。十二人の弟子と晩餐の席に着いたイエスは「この中の一人が私を裏切るだろう」と言って、弟子を驚かせた。「ゴルゴダの丘」では、予言通り弟子ユダの裏切りでイエスはとらわれ、茨の冠をかぶせられ、磔刑《たっけい》に処される。「わが神、わが神、どうしてわたしをお見捨てになったのですか」と言って息絶えると、天地がどよめき、岩が砕け、神殿の幕も二つに裂ける。「復活」では、死後三日経って甦ったイエスは十一人の弟子の前に姿を現し、「すべての国の人々に、父と子と精霊の名によって洗礼を施し、福音を述べ伝えよ。わたしは世の終わりまで、いつまでもあなたがたとともにあるのだ」という。

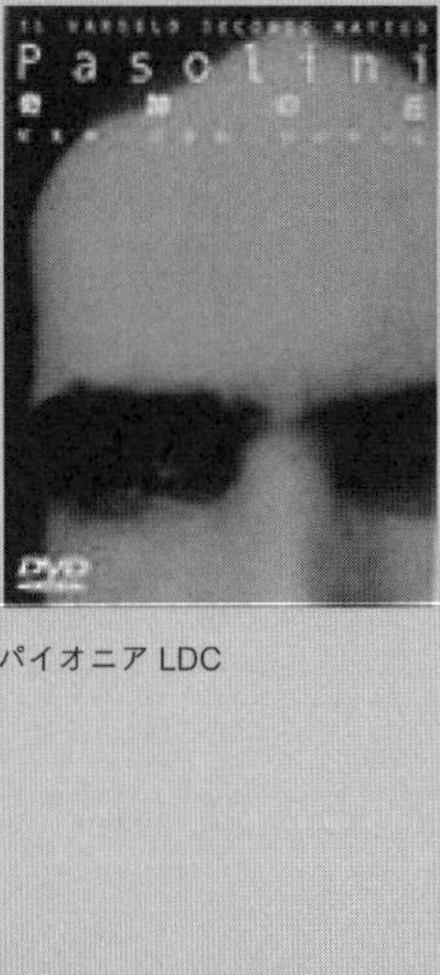

パイオニア LDC

マリアのもとにイエスが生まれる

弟子たちを引きつれてエルサレムを目指す

エルサレムの長老達

最後の晩餐

ゴルゴダの丘へとむかう

十字架で息絶えるキリスト

4　映画の「よき知らせ」

再開しましょう。聖書には「よき知らせ」という表現が、よく出てきます。この映画の中にも「よいお知らせがあります」という表現が何度か出てきたのを、お気づきになった方もいると思います。キリスト教とはひと言で言えば、「よいお知らせ」への欲望を組織化した宗教である、と言えます。よい知らせ、吉報、福音。ラテン語でエヴァンゲリウムevangelium、英語ではイヴァンジェルevangelまたはゴスペルgospel。長いこと皆が待ち望んでいた事態が間もなく到来するであろう、間もなく実現するであろう、というニュースを届けに来る者が、この宗教では重要な役目を果たしています。

最初のグッド・ニュースは、マリアという名の娘のもとにもたらされます。突然マリアの前に天使のガブリエルが現れて、「おめでとうございます。ラッキーな娘さん。あなたはこれから神の子を身ごもります。お大事に」と唐突に告げて、あっという間に去って行ってしまうのでした。天使はマリアの気持ちなどはまったく無視して、神の計画が実行に移されたという事実だけ告げて行きます。これは皆さんもよくご存じの「受胎告知」のシーンです。人間の世界に「よいお知らせ」が、まったく予想外のやり方でもたらされています。そのあとも人々のもとに、つぎつぎと「よいお知らせ」は届けられ続けます。ユダヤの信仰篤い貧しい人々の待ちに待っていた知らせ、神が予告しておいてくれた救済の時がようやく到来しましたよ、という知らせです。

イエスが十字架上で処刑され、墓場に埋葬されてから数日たった頃にも、マグダラのマリアのもとに天使があらわれ、「こわがる必要はありません。これはよいお知らせです。救い主は死からよみがえられました」と告げにやってきています。これは受胎告知のとき以上の、驚くべきニュースです。生と死を隔てている淵はあまりにも深く、いったん向こう岸に渡ってしまった後、こんなやり方でこちら側へ戻ってこられた者などは、いままで一人もいないからです。

天使の使う「よいお知らせ」という言い方には、独特の意味が込められているように感じられます。この世の出来事はすべて重力の働きによって、下へ引かれていき、地上にあるものでなにひとつとしてその作用から自由であるものはありません。そういう世界に生きていて、人々は噂話や伝言や事件のニュースやらを通じて、さまざまな知らせを受け取っていますが、どんなニュースも情報も通告も、私たちをこの重力の作用から解き放つものではなく、私たちの心はそういうニュースを受け取った後も、あいかわらず地上の現実に縛られたまま、地表を右往左往しているだけです。

しかし、この「お知らせ」はそういう類のニュースではない、と天使は断言するのです。この世のあらゆる出来事を下に引き寄せていく、ほとんど絶対的とも思える重力の作用に抗《あらが》って、何か根本的に「よきもの」が地上の現実のまっただ中に出現します、これを「よいお知らせ」と言わずにおられましょうか、と天使は言おうとしているように思えます。たしかにこれは吉報に間違いありません。

現実の世界は、そこに「よきもの」があらゆる抵抗をはねのけて出現してくれるのでない限りは、煩悩の重力の法則にしたがって落下を続け、かろうじて地上に押しつぶされたようにして支えられながら、歴史の自然法則のようなものに沿って進行を続けていくものです。自然落下を続けるその世界に、重力に従わない「よきもの」の力が出現するというのですから、そんなニュースを聞いて喜ばない人たちは、頭がどうかしているでしょう。もっともまあ、現実にはそういう人のほうが、数はずっと多いのですが。

＊

キリスト教の最大の力の源泉であるこの「エヴァンゲリウム＝よき知らせ」という考えには、有無を言わさぬ力で人の心を魅了しつくしていく、不思議な力が宿っています。その力がどこからやって来るのかを探っていくと、意外なことに、私たちは対称性人類学の核心部に立ち戻っていくことになります。

対称性人類学の試みの中で、私たちは神話の力の秘密に近づこうとしてきました。神話では、しばしば現実の世界とは異なる状況が、語り出されています。現実の中では人間と動物の間には、まったく不十分なコミュニケーションしか流通しえなくなっています。人間は動物の語る「ことば」を理解できず、自分の生存のためとは言え、人間は動物たちの潜在的な敵として振る舞わざるをえません。

ところが神話では、そういう現実の状況とはまったく反対の世界が、好んで描かれています。「昔は」という語り口で始まる神話は、いまここの現実空間とは異なる時空を、語り手と聞き手の心の中に開きます。そこでは、動物たちは人間のことばを理解でき、人間もまたいつでもなろうと思えば動物に変身することができるのです。動物は人間とそっくりの社会をつくっていて、人間は外出するとき動物の毛皮をまとうと、もう他の人間の目には動物としか見えなくなるのですが、それでも両者の間にはコミュニケーションの可能性は閉ざされていません。

神話は現実世界を構成している論理とは異なる「対称性の知性」を駆使することによって、現実に抗いながら、閉ざされてしまっているこの世界にふたたびコミュニケーションの通路を開こうとしています。ホモサピエンスの心の構造の基体をつくっているのは、現実を構成していく通常の論理（これを私たちはアリストテレス型論理と呼ぶことにしました）ではなく、アナロジーによって作動し、矛盾を飲み込み、全体性を直観する「対称性の知性」のほうなのですから、神話の思考のほうが人類の心の深層を揺るがす、根源的な力をもっていることはまちがいありません。

つまり、神話的思考はつねに現実の世界に抗して、そこに「よきもの」をもたらそうとする語りであったのです。「よきもの」は神話の語りがつくりだす特別な時空の中でしか、その独特な恩寵《おんちょう》の力を発揮することはできません。まして、神話が語り出されたからといって、動物と人間の間にある現実が消え去ってしまうとも、人々は考えなかったでしょう。彼らは、神話と現実は相互に補いあうもので、人は二つのリアリティを同時に認めることで、人間であることの不幸に耐えようとしていたのかも知れません。

こう考えてみますと、キリスト教を突き動かしてきた力の源泉は、神話の思考が発生してくる思考の泉のごく近いところにあり、宗教的情熱と神話の叡智《えいち》とは同じ「対称性の知性」から、生命をくみ取ってきているということが見えてくるのです。たしかに情熱はしばしば叡智を圧倒して、幻想や理想と現実との相補性を保ち続けるよりも、性急に理想の実現に走り込んでしまいがちです。そのために宗教の実践では、現実原則の無視が横行し、それによって大きな悲劇がもたらされることもあります。しかしたとえそうであっても、その情熱の源泉地は、神話の叡智の生まれ場所である「対称性の知性」であることを、忘れてはなりません。私たちがこれから本気で、宗教を越えていくものを創造しようと試みるときも、このことはいつも知っていなければならないことです。

現実を構成する論理と「対称性の知性」とは、たがいに弁証法的な関係にあります。おたがいが同じ場所に生起しながら、反対方向に向かって同時に運動を起こすのです。これが「よいお知らせ」の本質をなしているものです。「よいお知らせ」は、いまこうしているときにも「よきもの」が、現実を構成する力に全力で抗いながら、この世に出現しようとしていることを、伝えにやってきています。ですから天使＝メッセンジャーが知らせを伝えているシーンそのものが、それだけですでに一つの物語を、一つの強力な運動力を内包していることになります。

キリスト教の絵画は「受胎告知」から「復活」にいたるまで、しばしば決定的な意味をもつこのメッセージ伝達のシーンを、静止したタブローの中に描き出そうと努力してきました。そしてその努力の中から、たくさんの傑作が生みだされました。私たちがこうした西欧絵画から受ける感動を点検し直してみますと、それが画面にみなぎる運動力にあることに気づかされます。画面の奥のほうから、力強い物語が浮上しようとしているのを感じるのです。これらの絵画は、自分の潜在力によって動きだそうとしています。そうです、私が言いたいのは、キリスト教絵画はつねに自らが「映画」に変身していこうとする欲望を抱えている、というまぎれもない事実です。

＊

そのことを確かめるのに、とてもよい素材があります。それはビル・ヴィオラという現代のヴィデオ・アーティストによってつくられた『The Greeting／あいさつ』という作品です。十分たらずの作品ですから、上映してみることにしましょう。

写真①

写真②

じつに不思議な光景が描かれていましたでしょう。まるで絵画のような縦長のスクリーンに、立ち話をしている二人の女性が立っています（写真①）。二人の話を遮るようにして、そこへ第三の女性があらわれます（写真②）。立ち話をしていた二人のうちの一人の女性のことを、彼女はよく知っているらしく、親しげに挨拶を交わすのですが、もう一人のことは無視して、その女性の耳元になにかささやきます（写真③）。それを聞いた女性は驚愕します（写真④）。無視されたもう一人の女性はちょっと気まずい雰囲気になりますが、すぐに紹介がされると、和やかな雰囲気で会話がよみがえります。

このヴィデオ作品の着想のもとになっているのは、マニエリスムの画家ポントルモ

写真③

写真④

が十六世紀前半に描いた『聖母のエリサベツ訪問』（一五二八—二九）という絵です。聖母マリアが、洗礼のヨハネの母親エリサベツを訪問して「よき知らせ」を届けたという、福音書の一シーンが描かれています。洗礼のヨハネはこれからキリストが出現することを知っていて、それを迎えるための準備を整えておくために、ヨルダン川のほとりで人々に洗礼を施していたという人物です。そのヨハネの母のもとに、マリアが知らせを届けにやってきたのです。「あの方がまもなく来ます」。そのシーンを画家は一枚のタブローに収めたのでした。

　ビル・ヴィオラはその絵の中に、映画が潜在していることを見抜いたのです。何重もの意味で、それは映画です。まずそこには「よき知らせ」というメッセージの運動があります。このメッセージは一人の女性からもう一人の女性へと伝達され、いずれその息子にも伝えられていくでしょう。しかもそのメッセージの背後には、とてつもなく「よきもの」が、そんなものがあらわれては困ると内心で思っている世界中の勢力に抗って、この世にあらわれようとしている、という強力な弁証法が作動しています。そういう重要なメッセージは、見知らぬ人には聞かれないように、そっと耳打ちされるのでなければなりません。ここにはスパイ映画の約束事まで入り込んでいます。

画家ポントルモはたしかにこれを静止画像として描いたのですが、そこにはすでに映画が動き出しています。絵

Bill Viola : *The Greeting*, 1995
Video/sound installation
Photo : Kira Perov

ポントルモ『聖母のエリサベツ訪問』

Bill Viola
Photo : Darin Moran

Bill Viola : The Greeting, 1995
Photo : Kira Perov
©Bill Viola

画はすでにそこでは映画なのです。キリスト教絵画に秘められた映画への変身欲望を見抜いた現代の芸術家は、その欲望を現代のメディアで実現してあげようとしたのでしょう。俳優を使って、一連の行為を演じてもらい、それを四十五秒間のワンカットで撮影して、十分間のスローモーションで再生したのです。

すると、私たちの前に、秘められた絵画の欲望がまざまざと立ち上がってくるのでした。スローモーションの技法は、時間の流れを微分する働きがあります。普通の時間の流れで見ると連続的な線と見えていたものが、微分の操作をすると、運動への潜在力をあらわすベクトル状の速度をあらわすようになります。さらにこの作品の場合のように、わずか四十五秒間の映像を約十分にも引き延ばしますと、微分の微分（二次微分）がおこなわれて、運動線から抽象的な加速度があらわれるようになります。

マニエリスムの画家は、瞬間的な映像の薄層を積み重ね、それを一つの画面の中に統一するようにしてこの絵を描いたのですが、現代のヴィデオ技術はその絵からふたたび多数の薄層を分離し剝がし取る操作をおこない、それによって絵画に秘められた欲望（欲望とは抽象的な力にほかなりません。つまりそれは心の働きにおける加速度量をあらわしているのです）を、私たちの前にまざまざとしめしてみせようとしているのです。

この絵は動き出すことを欲しています。それどころかこう言ってよければ、あらゆるキリスト教絵画が、自ら動き出すことを欲しています。キリスト教は自らが映画であることを欲望している宗教なのではないでしょうか。いや、こうも言えるかも知れません。映画そのものがキリスト教なのである、と（ヒンドゥ教の神々もキリスト教の場合とは違う理由で、動き出すことを強く欲望しています。ハリウッドと並ぶ映画産業の「聖地」がインドのムンバイであることは、おそらくこのことに深く関係しています。）。

5　イエスの闘い、映画の闘い

私はパゾリーニの撮った『奇跡の丘』という作品を、最高のイエス映画であると断言してみせましたが、それにはいくつもの根拠があります。

パゾリーニ（一九二二―七五）は戦闘的なマルクス主義者として知られていました。カトリック教会はそのような人物が、こともあろうにイエス・キリストの生涯を描いた映画を撮る計画が進んでいることを知って、はじめは強い警戒心を抱いたようです。しかし、出来上がった映画を見て、彼らはほっと胸をなで下ろしました。中には感動のあまり涙を流していた教会関係者もいたと伝えられています。

パゾリーニは福音書作家ルカが書いたキリスト伝に、ほとんど完全に忠実にしたがって、その映画をつくりました。教会関係者は唯物論者のパゾリーニが福音書に描かれたイエスのおこなった奇跡の数々を否定するのではないか、と恐れていたのですが、ごらんのようにルカの記述どおりに、映画の中のイエスはキリストとして奇跡をおこなっています。ルカ福音書に記録されたイエスの言動の数々も、かつてないほどの正確さで、忠実に再現されています。これがローマ法王庁の権威に挑みかかっていたマルクス主義者のつくった映画であろうか、と考える人々もいないわけではありませんでしたが、私は大学生ではじめてこの映画を見たとき、これこそがほんとうの唯物論の映画だと、深い感動の中で思ったのでした。

唯物論の本質は、昨日もお話ししましたとおり、ささいな日常生活から資本の巨大な運動にいたるまで、人類の心を覆い尽くして「無明《むみょう》」のままに自己運動を続けている「観念」の運動体の「運動法則」を解き明かし、人類がそこから自由になっていけるための道を探り出そうとする思想なのだと思います。そのさい、近代の唯物論が「観念」と呼んだものは、私たちがこの講義で、第二群と第三群のイメージの働きとして分離したものと、だいたい一致しています。

資本主義社会はこのイメージ第二群と第三群の「巨大な集積」としてできあがっています。マルクスは資本主義を「巨大な商品の集積」として描いていますが、この商品というものでさえ、イメージ第二群と第三群の働きを一身に集めた合成体と見ることができますから、私たちの心を覆う「無明」の源泉は、ますますもってイメージなのだとわかってきます。マルクスはこの「無明の雲」を吹き払うために経済学の研究に向かっていきましたが、その確信にみちた忍耐強い歩みは、私たちにモーセの歩みを思い起こさせます。

モーセが闘っていたのも、超越的な神を表現するために、都市と国家を築きつつあった当時の人類が用いていた、第二群と第三群のイメージの強力な働きだったからです。モーセの神は、自分をイメージで表現しようとするいっさいの試みを、厳しく禁じました。具体的には、牛や馬や犬や鷲のかたちであらわされた神々や、動物と人間との合体として表現された神を持ってはならないという命令です。モーセの民（つまりはユダヤ民族のことですが）は、イメージの神をもってはならない、そのかわりに、（私たちがこの講義でイメージ第一群と呼ぶ）超越的な流動的知性の働きに直接触れている「超薄」のイメージ作用の向こう側で生きている「あるもの」の実在だけを、自分たちの神として持ちなさい、というじつに困難な命令をあたえたわけです。

考えてみるとこれはほんとうに実行困難な命令で、モーセの思想がいったん宗教システムとしてできあがってしまうようになりますと、ますますモーセの神の真意を理解するのは難しくなり、ある人々は『モーセ五書』に書かれているとおりの戒律を守り、そこに書かれているとおりに供犠の儀式をおこなっていればよいと考え、またある人々は「神は法である」「神は掟である」という、モーセ思想の一面ばかりを強調するようになっていました。

そういう時代に、イエスはそのモーセの語っている「あるもの」とは愛である、と大胆にも語り出したのでした。人の思考の触れることのできない超越的な「あるもの」が、超薄のインターフェイスをとおして、人間を包み込む大いなる力を放射し続けている、そのことさえ理解していれば、この世の権力に結びつく可能性をもったイメージの働きのすべては、捨て去ってもいっこうにかまわないではないか、見なさい、空の鳥も野の花もイメージの想像作用では生きていない、しかし彼らは「あるもの」からの愛の放射力を直接に受け取りながら、ただ純朴に生きている、あなた方もそのように生きなさい。これがイエスからの「唯物論的メッセージ」であったと、私は考えます。

＊

パゾリーニはイエスの伝記を映画にしようとしたとき、イエスについての映画を撮るのではなく、映画そのものをイエスの思想によって唯物論的につくりかえてしまおう、と考えたのではないでしょうか。映画は誘惑者です。とりわけイメージ第三群の強力な働きのもとに、映画は私たちを「無明」の世界の中に、強く引きずり込む力を発揮しています。こういう映画という誘惑者に向かって「サタンよ、退きなさい」と断固とした口調で告げることのできる、叡智をもった別の映画をつくること。こんな大胆なことを考え、じっさいにその考えを実行に移してみせた芸術家、それがパゾリーニだったと思います。

それにパゾリーニは、福音書が記録するイエスのおこなった奇跡の数々を、否定する必要もなかったでしょう。日常生活はひとつの平面の上を動き続けるシステムにほかなりません。そこには外から予想外な出来事が、できるだけ入ってこないように管理が施されていますから、けっして奇跡などは起きないようにつくられています。たまにそういう世界で、真実の奇跡が起こったとしても、その奇跡じたいに十分な力が備わっていなければ、なにも起こらなかった、これからもなにも起こらない、とみんなでうなずき合っていると、そのうちじっさいなにも起こらなかったようにして、消えていってしまいます。

しかし、十分な力を備えた奇跡は、イエスの生涯がしめしているように、日常生活の平面を垂直に貫いて、この世に出現してしまうものなのです。ドイツの政治学者カール・シュミット（一八八八―一九八五）は、こういう奇跡の構造が、近代のヨーロッパ人の考えてきた「革命」の概念と、まったく同じ構造をしていることを発見しました。システムが順調に作動を続けるためには、外からそこに介入してきて、システムの作動を混乱動揺させる要因は、あらかじめ排除しておく必要があります。そこにかつてない強力な力が働いて、垂直方向からシステムを貫いて言語道断な力が侵入を果たすとき、システムの正常な動きはストップして、革命とクーデターの状況が発生します。シュミットはその構造は、まったくキリスト教神学そのものではないか、と見抜いたわけです。

おそらくパゾリーニも、イエスのしめしたさまざまな奇跡と、唯物論の考える革命の考え方とが同じ構造をしていることに気づいていたからこそ、『奇跡の丘』の中で、不治の病人たちを、つぎつぎと癒していったという聖書の記述を、堂々とそのまま映像化してみせたのだと思います。「よき知らせ＝エヴァンゲリウム」という考え方そのものがそうであったように、キリスト教にとっての奇跡という考え方も、対称性人類学の視点に立つと、どちらも神話思考の変形表現であることがあきらかです。

『奇跡の丘』という美しい「映画を純化することをめざす映画」をとおして、私たちは革命という近代の考え方もまた、神話思考の強力な変形体であったことを、はっきり知ることとなります。

第三章

イメージの富と悪

——ロベール・ブレッソン『ラルジャン』

1　宗教とお金

どんな宗教にとっても、お金はデリケートな問題を突きつけてきました。宗教のなかには、お金にたいして厳しい批判的な態度をとるものがあり、そういう宗教には清貧を重んじる修行者たちが、富や地位のことなどにまったく頓着しないすがすがしい生き方を実践しようとしているいっぽうで、その同じ宗教の仲間たちが広大な土地やワインの醸造所や高価な美術品などを所有し、じつに莫大な財産の所有者となっているというケースは、そんなにめずらしいことではありません。人にはお金に執着するなと言っておきながら、自分のまわりにお金を集めてしまうという奇妙な性癖が、宗教には昔から備わっています。

現代社会で宗教がとかくの批判を浴びやすいのも、宗教がお金にたいしてしめすことに一貫性のない、矛盾した態度にあるように思われます。たしかに、お金の問題をどうクリヤーしているかが、諸宗教の性質を見分ける試金石となっているような気さえします。宗教とお金が取り結んできたこの矛盾にみちた関係が、じつは宗教の本質をなす「映画的構造」というものに深く結びついているというのが、今日の講義でお話ししようと思っている主題です。

一神教の思想を生みだすことになったいわゆる「モーセ革命」の話をしたときに、その頃メソポタミアやエジプトで発達していた宗教では、超越的な存在をイメージで表現することが広くおこなわれていたのにたいして、モーセたちが超越者をイメージ論的に思考する道を閉ざそうとする、大胆な行為に出たという話をしました。このときイメージ思考と神を切り離す試みがおこなわれたわけですが、その試みの副産物として、神をめぐる宗教的思考とお金をめぐる商人的な思考の切り離しが可能となりました。お金は商売に使われるものとして、神をめぐる宗教的な事柄から切り離して考えてもよい、という考えが発生できるようになったわけです。

それ以前の「新石器型」宗教では、じつは神々をめぐる宗教の思考と、お金を扱う経済の思考とのあいだには、深い内面的つながりがありました。「新石器型」宗教では、超越者をイメージによってとらえる思考が広まっていました。ほんらい目には見えないはずの超越的なものが、神像のようなイメージと結合していながら、なんの不思議もなく受け入れられていたわけです。ところがよく考えてみますと、お金もそうなのです。お金は金や銀や銅などの金属の表面に、皇帝や神の姿を刻印したものでした。それが目には見えない抽象的な価値を表現しているわけです。不可視であるはずの価値なるものが、貨幣の表面で金属の物質素材と結合し、その結びつきを媒介しているのが、表面に刻印された皇帝像であったのです。

つまりイメージ論的に見れば、「新石器型」の神々と貨幣とは、同型の思考から生みだされていたということになります。そのために、貨幣経済が発達しはじめていた都市では、宗教をめぐる思考と貨幣をめぐる経済思考とのあいだに、密接なつながりが存在していました。その証拠にその頃、神々を祀《まつ》る寺院が最初の金融業を開始しています。神々に奉納された財産を元手にして、寺院がお金の貸し付けをするようになったのです。こういう事情は日本でもまったく同じで、古い起源を持つ観音様のお寺である長谷寺などが、最初の金融業を開始して、それはまたたくまに多くの寺院の模倣するところとなっていったと言われています。長谷寺は観音様の仏像で知られていた寺ですが、仏像（超越的なもの＋物質的イメージ）がお金（抽象的価値＋物質的イメージ）を呼び寄せたのだ、とも言えるのではないでしょうか。

清貧の行者たちは、そういう現実を宗教の堕落としてとらえ、自分たちはできるだけお金の影響力の及ばないところに遠ざかり、心を澄ませていなければならないと感じて、山の中などに籠もって修行したのでした。彼らは宗教的思考と貨幣論的思考とのあいだに深い矛盾を感じて、宗教世界の現実から逃避するために、権力や富にどうしても触れてしまうことになる町中の暮らしを捨てて、山中に隠棲しようとしたわけですが、こういう問題が発生してしまうのも、このタイプの宗教思考では超越者の思考と貨幣論的思考が、同じ思考型でつくられ、容易には分離できないことが原因になっていたと考えられます。

＊

ところが、ほんらいの一神教ではこういう矛盾が発生しにくいのです。一神教は超越者の思考からイメージ論の残滓《ざんし》を一掃しようとしました。つまりお金の問題と神の問題の、徹底的な分離が図られたわけです。そのために、ユダヤ教でもイスラム教でも、聖者がお金を扱ってもまったく平気です。ユダヤ教の共同体では、昼間は金融業者や商人や職人として、ドライな態度でお金を扱う有能な生活者でありながら、夜になると敬虔な宗教者として神の道に仕える者になりきるという生き方が、推奨されていました。ユダヤ教の現実主義はそういうところから発達したのでしょう。それにみなさんもご承知のように、イスラム教をはじめたムハンマドは、もともときわめて有能な商人であり、聖者としての生き方をはじめた後も、商業活動から完全に離れることはありませんでした。

このように、ユダヤ教でもイスラム教でも、お金が不浄なものであるとは考えられていません。二つの領域はもともと別物なのです。彼らにとっての神の道は、イメージ論の否定の上になりたっていますから、イメージ論の構造をもつ貨幣とのあいだに、軋轢《あつれき》を生む必要がなかったのだと思います。ところが、そういう一神教に特異な変形を加えたキリスト教においては、そのことが大問題になったのでした。

昨日の講義で話しましたように、キリスト教は一神教の構造の内部に、イメージ論を再導入しています。それはのちにトリニティ（三位一体）の神学に展開していくような、「新石器型」宗教の場合とは比較にならないほど複雑な内容をもつものでしたが、原理主義的な一神教から見れば、「新石器型」宗教への回帰としか受け取れない、原則からの逸脱の要素をはらんでいるものでした。そのために、キリスト教はせっかく一神教が分離しておいてくれた、神学と経済論との結びつきを復活させてしまいました。

じっさいイエス・キリスト自身が、貨幣とは微妙な関係を保っていました。イエスは超越的

マーク・シェル
『芸術と貨幣』より
小澤博訳、みすず書房、
2004

な神の子だと言われましたが、それはイエスご自身の上で、目には見えない超越的な神と感性的な物質的身体とが、ひとつに結び合っていることを意味しています。キリストのあり方がしめすこの構造は、あきらかに貨幣と同型をあらわしています。このことはキリスト教発達のごく初期の頃から、多くの人々に気づかれていたようです。ここに持ってきましたのは、キリスト教が公認されるようになった頃のローマ帝国で発行されたメダル（これは貨幣としての働きもしていたようです）の写真ですが、当時の人々は神的であると同時に身体を持ったキリストご自身が、抽象的価値の表現として金属素材でつくられた貨幣と、同じ考え方に基づいていることを、はっきり認識していたようなのです。

＊

ところがイメージ論的に見たとき、これほどに貨幣とよく似た存在の構造をしたキリストご自身は、商業活動に厳しい批判的な態度をしめしています。『新約聖書』にはある日ユダヤ教の神殿に出かけたイエスが、境内で商人たちが露店を並べて商売しているのを見て怒りをあらわにして、鞭を手にして商人たちを神殿から追い出す様子が、生き生きと描かれています。おそらくユダヤ教の考え方からすると、神殿の内部でおこなわれる聖なる行為と神殿のすぐ外でやられているお金を扱う商業活動とは、もともと構造的にもまったくの別物として接触点を持たないはずのものでしょうから、露天商の活動にとやかく口出しするほうがどうかしています。

それをキリスト教ではひどく気にするのです。イエスはそのとき「神の宝」と「地上的な宝」を峻別しなければならないと説きました。原理主義的な一神教からすれば、それはもともと別物として、この現実世界の中でたとえ同じところに同居していたとしても、問題をおこすような種類のものではありません。しかしイエス・キリストは身体をもってこの世にある神として、一種のインターフェイス＝媒介者としての構造をしているのですから、神の宝と地上の宝の峻別ははなはだ困難です。インターフェイスというのは、そもそもそのような峻別をしないところでしか、意味を持てないからです。

じっさい『新約聖書』のこのくだりは暗示的です。少し詳しく読んでみましょう。

その後イエズスは、母、兄弟、弟子たちとともにカファルナウムに下り、そこに何日かとどまり、ユダヤ人の過ぎ越しの祭りが近づいたので、エルサレムに上られた。神殿の境内で、牛や羊やはとを売る者、座っている両替屋を見られたイエズスは、なわでむちを作り、羊や牛をみな神殿から追い出し、両替屋の金を散らして台を倒し、はと売り人らに、「それらをここから取り除け、私の父の家を商売の家にしてはならぬ」と言われた。弟子たちは〈あなたの家に対する熱心は私を食い尽くす〉と書かれていることばを思い出した。そのときユダヤ人が、「こんなことをするあなたは、私たちにどんなしるしを見せようというのか」と言うと、イエズスは、「この神殿を壊せ。私は三日でそれを建て直そう」と答えられた。ユダヤ人は、「この神殿を建てるには四十六年かかったのに、あなたは三日で建て直すのですか」と言ったが、イエズスが言われたのはご自分の体の神殿についてであった。

イエス・キリストは自分の体を神殿であると考えています。肉体そのものが神性を宿す神殿であり、イエスの教えではこの二つは分かち難く一体であるので、そこに貨幣を扱う商人的思考がすばやく侵入しやすい危険があることに、警告を発しているわけですが、ユダヤ教の人々はそのような思考を不審がっています。

「新石器型」宗教の場合にも、同じような宗教とお金の間のよじれた関係を、いたるところに見いだすことができます。キリスト教や多くの「新石器型」宗教では、ユダヤ教徒やイスラム教徒のようにドライな態度でお金を扱うことができないのです。そこでキリスト教などでは、お金にたいする偽善的な発想が生まれやすいのではないでしょうか。偽善とは言わないまでも、その世界では貧困者への慈善活動が推奨されてきました。そういう要請の背後には、大金を持ったりすること自体が神の道にはずれているのではないか、という後ろめたい心理が隠されているのでは、と勘ぐりたくなります。この点もイスラム教徒に求められる「喜捨」の精神とは、微妙な違いを感じさせます。

とにかく、宗教はお金の問題に神経質にならざるを得ない。それというのも、超越者をめぐる宗教の思考と、貨幣をめぐる経済的思考の間には切っても切れない関係が存在し、その関係の本質をひと言で言いあらわすとすれば、両者が「イメージ」の力に深く関与しているからにほかなりません。

今日はフランスの映画監督ロベール・ブレッソンのとてつもなく暗い『ラルジャン』という映画を見ながら、神とお金を結ぶ映像の問題に取り組むことにいたしましょう。「映画としての宗教」という私たちの掲げるテーマにとって、これはいわば応用編にあたります。

2　イメージ群の構造

この集中講義をとおして私は、人類の歴史に出現してきた諸宗教を、「イメージの構造とその運動」という一貫した視点からとらえ直し、カオスのような宗教現象の総体を新しいやり方で編成し直してみる、という課題を自分に課したのでした。それをおこなうために、私はこれまで不十分なかたちでしか取り出されてこなかった後期旧石器のホモサピエンスのおこなった宗教を、「旧石器型」として特別に取り出してくることによって、私たち自身その内部にいるためにその本質に気づかずにいる「新石器型」の宗教思考を、外部から照らし出してみようとしてきました。

考古学の研究は最近になって、後期旧石器の人類が洞窟などに残した岩画などを調べてみると、その頃の人類がおこなっていた芸術には（同時にそれは宗教の活動でもあったわけですが）三種類の異なるイメージが用いられていたことを、あきらかにしはじめました。それを私たちはイメージの「第一群」「第二群」「第三群」と呼んで、宗教の映画的構造をめぐるこの研究の重要な手がかりとしてきました。

洞窟絵画には構造の異なる三種類のイメージ群が、いっしょにあらわれています。洞窟の内部のどのあたりに第一群に属するイメージが多く見いだされる、というような傾向性は存在しているようですが、まだ確定したことはこれに関しては申し上げられる段階にはないようです。しかしとにかく、爆発的な飛躍をとげたホモサピエンスの脳に発生した芸術＝宗教の活動がはじまったとき、すでにこれら三種類のイメージ群のすべてが、ほとんど完成した状態で出そろっていたことは、たしからしく思えます。

「旧石器型」宗教のしめしている最大の特徴は、イメージ第一群の大きな存在感です。このグループに属するイメージ群は、これまでの美術史の研究ではあまり注目されてきませんでした。芸術のはじまりを語る多くの物語は、ラスコーなどの洞窟に残されたすばらしい動物壁画への賛辞からはじめられるのが常でしたが、そこにはイメージ第二群とイメージ第三群をもってホモサピエンスの芸術＝宗教の本質とみなす、という暗黙の前提が働いているように見受けられます。この前提には、芸術＝宗教の「唯物論的土台」に目をつぶって、ものごとの起源を語りはじめようとする予断を見ることができます。ところが、「旧石器型」の宗教＝芸術活動の土台をなしているのは、どうも「第一群」に属するイメージと、それを生みだした人類の認知構造のほうに見いだし得るのではないか、と私は考えるのです。

第一群のイメージは、その直接性によって際だっています。それは視覚が外界にとらえる、どのような具体物のイメージにも対応していません。視神経そのものがニューロンの内部で起こっている運動を、あいだになんの媒介もはさまない状態で、直接に光の運動としてとらえ、それを視覚のスクリーンに内側から映し出しています。そこに映し出されているイメージ群の運動は、私たちが「流動的知性」と呼んでいるホモサピエンスの心の本性を、光の波状運動として見せているものです。

「イメージ第一群」の例
古代アメリカ先住民の
遺跡で発見された図像

豊穣に関わる何かの儀礼をおこなうために、洞窟に入り込んだ旧石器の人類は、自分たちの身体の内側から放出されるこうした光の運動を観察し、それを抽象的イメージとして描き出すことをとおして、自分たちの心の秘密に触れようとしていました。ホモサピエンスの心の最深部では、流動的知性がこのような運動を繰り広げているのですが、それは人類の心を構成する唯物論的な「現実界」として、イメージや言語による認識の外部にあるものとして、超越的な領域をかたちづくっています。イメージの第一群は、このような超越的な領域で起こっていることを、いわば直接的なやり方で「検知」しているのだと言えるでしょう。

しかし、このイメージ第一群の働きは、いわゆる「新石器革命」をへた人類の宗教活動では、しだいに重要性を失ってくるようになります。超越的活動に直接的に触れている第一群のイメージは、現実世界の富や価値にはほとんど関心もつながりももっていません。それは「無」から生まれて「無」の形態をつかのま出現させながら、ふたたび「無」へと戻っていく、ないないづくしのイメージ活動なのです。

ところが「新石器革命」のあと、農業と動物の組織的な家畜化を開始した新石器の人類にとっては、いったんこの世に出現した価値や富を保存したり、ほかの場所に持ち運んだり、おたがいに交換しあうことが、重要な意味を持つようになりました。そういう世界では、「旧石器型」の「無」から「無」へ転がっていくような宗教思考は、しだいに好まれなくなり、かわって「有」の世界を「無」の領域につなげることと、いったんこの世のものとなった「有」をいつまでも「有」のうちにとどめておこうとする思考のほうが、大きな力をもつようになります。そのためにこういう特徴をもった「新石器型」の宗教の思考では、イメージ第二群とイメージ第三群の存在が大きくクローズアップされてくることになります。

いままではこのイメージの第二群と第三群をいっしょにして話を進めてきて、それで支障がなかったのですが、宗教の映画的構造と貨幣経済の問題を扱うことになると、それではすまなくなってしまいます。貨幣という現象自体が、第二群と第三群のイメージ作用にまたがっていて、この二つのグループのそれぞれを独自の層として分離できないことには、近代社会に関わる多くの本質的問題は解けなくなってしまうからです。そこで今日はまず、この二種類のイメージ作用を分離する作業からはじめたいと思います。

＊

旧石器の洞窟に残された精霊や動物の姿を描いた、壁画やテラコッタ像を詳しく調べてみますと、洞窟内ホールの岩肌に描かれたジョアン・ミロ風の単純なイメージ群と、彩色もほどこされて見事な具象表現で描かれたイメージ群との、二種類のものがあるのに気がつきます。このうち後者の具象像はどうやらたんなる「鑑賞用」のものではなかった様子で、まるで本物の動物を相手に戦いを挑む儀式でもおこなわれていたのではないか、と思わせるように、引っかき傷や石器の武器を突きたてた痕などが見いだされることもあります。この三番目のグループのイメージ群を前にした旧石器の人々は、鑑賞しているだけではおさまらないような、興奮を感じていたようです。彼らはそのとき幻想と現実の境目をなくしていたのではないか、と思えるほどです。

「イメージ第三群」の例

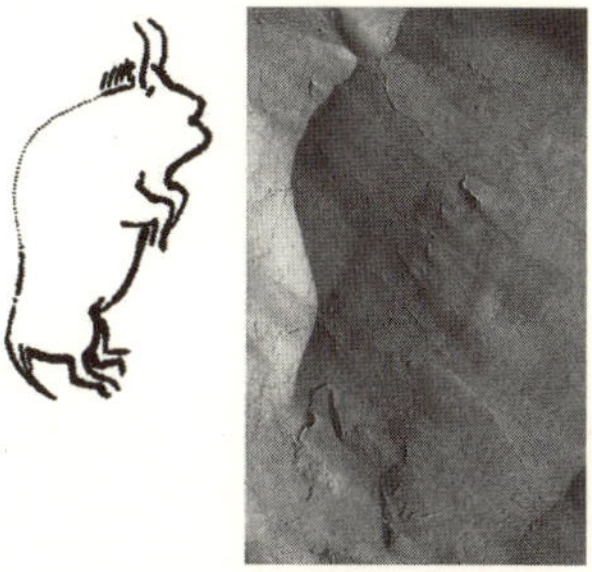

「イメージ第二群」の例

二番目のグループ（これを私たちはイメージ第二群と名付けました）の特徴は、それらがおもに大ホールの壁面に描かれ、純粋に鑑賞したりそれをめぐってなにかの「教え」を伝達することを、目的としていたらしいという点にあります。動物性脂肪を燃やすほの暗いランプの光に照らしだされたこれらのイメージ群を、秘密結社にはじめて参入を許された若者たちは、おそらくは驚きとともに見つめたことでしょう。深い宗教性をたたえていたであろう、このような「芸術鑑賞」の目的はなんだったのでしょうか。

それを推測するには、オーストラリア先住民の精霊（スピリット）をなかだちにする複雑な生命論を参考にするのがよいと思います。この人々は約五万年とも六万年とも言われる昔、当時の巨大なスンダランド（インドネシアからサラワク・カリマンタンなどの島々を包み込む巨大大陸）からサフールランド（今日のオーストラリア大陸の原型をなす大陸）へ渡る航海へ乗り出して行った、黒い肌をした人々を先祖としていると言われ、その神話や儀礼や社会構造には、多くの旧石器的特徴が残されていると考えられるからです。もちろん、あくまでも推論にすぎませんけれど、神話や儀礼についての具体的資料がなにも残されていない旧石器の人類の思考を探るには、重要なヒントを与えてくれるでしょう。

オーストラリア先住民は生命の誕生と死を、精霊との深い関わりのなかでとらえていました。子供のような姿をした精霊は、大地の中に住んでいますが、泉や水溜《みずたま》りのある場所や大きな岩にできた割れ目などをとおして、現実世界へ出入りしています。大地に住む精霊そのものを目で見ることはできませんが、精霊は生命を生むものの体に入り込んで、新しい生命体となって現実世界にあらわれることができます。つまり、目には見えない精霊が、なにかの物質的境界面をとおして、こちらの世界に現実的な生命となってあらわれてくるという考え方です。

旧石器のホモサピエンスが、これとよく似た道筋で生命をめぐる独特の思考を展開していたと考えてみますと、私たちは彼らの残した洞窟壁画の意味を解読する方法について、ひとつの有力な見通しを得ることができるようになります。精霊が人間として生まれようとするとき、その精霊の子供は人間の女性の胎内にもぐり込みます。女性の身体をインターフェイスとして、目に見えない流動体は現実世界への出現を果たすのです。それと同じプロセスを、イメージ第二群の生成原理のうちに見いだすことができます。洞窟は大地の底へと続いていくトンネルであり、その壁面は薄い膜のようなものをとおして、精霊の住む空間にじかに触れています。

その壁面に第二群のイメージは描かれるのです。イメージ第二群のいわば「皮膚」の下には、たえまなく内部からわきあがってくる第一群に属する唯物論的イメージ群が、渦を巻いて打ち寄せ続けています。その「皮膚」にあたる表面の部分に、可視的世界の動物イコンが、顔料を使って載せられるのです。このイコンがイメージ第一群の上にかぶせられることによって、第二群のイメージが生まれます。ここではイコンそのものがインターフェイスとなって、精霊の世界に充満する潜在力を、可視的世界の中に顕在化させているわけですから、洞窟の秘儀は現実の世界でおこっている生命発生のプロセスを観念化(イデア化)して、観念が現実を先取りするような事態をつくりだそうとしていると見ることができるでしょう。観念が現実を先取りするとは、いわゆる「イデオロギー」の発生ということで、こんなことにも人類の観念性の根深さを見ることができます。

このように第二群のイメージの「皮膚」の下には、「無」から「無」への運動をつづけるイメージ第一群のざわめきがたえまなく打ち寄せており、そのために洞窟の壁面に描かれた動物イコンそのものが、「無」を「有」に変換する動的なインターフェイスとして作用していることになります。獣脂のランプに照らし出されるたびに、闇の中から出現してはまた闇の中に消え去っていく第二群のイメージは、こうして出現と消滅、「有」と「無」の狭間に位置しながら、美術史の語る宗教=芸術の発生の現場をかたちづくるのです。

ところが第三群のイメージとなりますと、幻想の度合いがぐっと深くなってきます。ここでは動物イコンは、第二群のケースよりもずっと高い安定性を持つようになります。イメージ第二群の場合は、その「皮膚」の下に流動的知性の運動に直接触れているイメージ第一群の動きがはっきりと感じられていたのですが、これがイメージの第三群となりますと、イコンの「皮膚」はぐっと厚くなって、もはやイコンの表面に流動的知性の脈動を聞き取ることが難しくなります。その結果、そこではイメージは「有」から「有」へのたえまない変態metamorphosisをおこすようになります。

第二群のイメージは、ものごとの「生起」をしめしていると言うことができるでしょう。これにたいして第三群のイメージたちは、いったん出現したからには二度と「無」の中に消滅していかない決意をもって、つぎつぎと「有」の世界の中での変態・変身をとげていこうとしています。

＊

このようなイメージ第三群の働きにいったん深く巻き込まれますと、人は幻想の虜《とりこ》となっていきます。洞窟の秘儀がおこなわれていた現場を考えてみますと、旧石器のホモサピエンスは暗闇の中に浮かび上がる動物イコンと現実の動物との区別をなくしてしまうほどの、幻覚に飲み込まれていたのではないかと想像されるのですが、そうだとすると、秘儀はこのときクライマックスを迎えて、オージーの熱狂状態が人々の間に生まれることになったのではないかと思われます。

イメージの三分類の特徴

イメージ群の「皮膚」の厚さ
幻想・幻覚の度合い
「無」の強度
「幻想」の強度

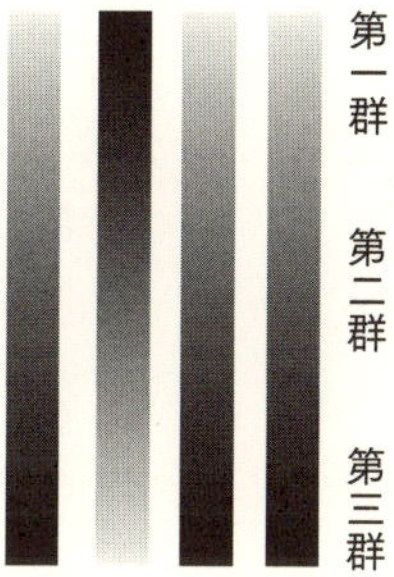

　イメージ第三群は、人類の心に強固な幻想界をつくり出す働きをしています。私たちが普通「無意識」と呼んでいるものを突き動かしているのは、この幻想界の持つ強い巻き込みの力にほかなりません。無意識には弾力性のある「底」のようなものが張ってあって、イメージの第一群・第二群が触れている「無」が、無意識の内部に流れ込むのを防いでいますが、じっさいにはその「底」というのは、このイメージ第三群の働きのことを言っているのではないでしょうか。その意味でこのイメージ群は、無意識の形成にとって決定的な作用を及ぼしています。

　宗教＝芸術発生の現場では、このように三つの構造の異なるイメージ群が協同して、ひとつの全体をつくりだしています。最初の宗教であり最初の芸術の活動が開始されたそのときから、すでに人類のイメージ思考は複構造的でしたが、この複構造こそが「旧石器型」宗教の大きな特徴をなすものでした。そこではホモサピエンスの心に発生した流動的知性の働きに即応して、いちどきに三つの構造の異なるイメージ群の作用が発生し、そのすべてのイメージ群の働きをほぼ満遍なく観察できるというのが、「旧石器型」宗教の豊かさなのではないでしょうか。

宗教の映画的構造をめぐる私たちの研究にとっても、この第三群イメージの持つ重要性には、計り知れないものがあります。フォイエルバッハは宗教というものを、人類がいまだに囚われている強力な幻想の体系であるととらえて、もっぱら宗教を幻想性の側面から批判しました。そして私たちの考えでは、宗教にそなわったその幻想性は、それが持つ映画としての構造に深く根ざしています。その幻想性のおおもとを、私たちはイメージ作用の第三群の働きとして分離することができましたが、ここから翻って考えると、現代人のメンタリティに甚大な影響力を及ぼしている映画そのものが、厚いイメージ第三群の働きによって表面を覆われた幻想の発生装置となっている様子が、はっきりと見えてきます。

＊

第一日目の講義（第一章）でお話ししましたように、仏教は国家や都市と結合した「新石器型」の宗教の本質をなしている幻想性を根底から批判するために、イメージ第三群から脱却するための有効な方法をあたえようとしました。ブッダは言語の論理機能からはじまって巨大な神々の宗教体系にいたるまで、人間の心が分厚い幻想のベールで覆われている様子をはっきりと見抜いて、世界は魔術の神ガンダルヴァが目くらましの魔法でつくりあげた「幻影の都市」である、と語ったのでした。人間はこの「幻影の都市」の中をうろつきまわっていながら、自分たちの心が幻想に翻弄されていることを知らない、と言うのです。映画を見ていながら自分は映画を見ているということに、気づかない人のようなものです。

　では、そこから抜け出していくにはどうしたらよいのか。ブッダはそれを実行するための実践的方法を、手を替え品を替えて教えてくれました。その中でもっとも強力な方法は、イメージ第二群と第一群の力を借りて、イメージ第三群の強力な呪縛から脱出しようとするものでした。イメージ第三群の作用は、この世界は「有」であるという幻想を生みだそうとしますから、それに対抗して「有」は実在ではなく「無」であることを知らなければなりません。そのために仏教は、「有」を「無」に転換させるための哲学的思考（「中道を行くものの見方《マーディヤミカ》」という意味を持つ「中観《ちゅうがん》哲学」の顕教的方法です）を開発しましたが、これは私たちがここで展開している考え方からすると、イメージ第三群の働きをイメージ第二群の分解作用にゆだねることによって、幻影の呪縛力を解体しようとしていることになります。

　さらに仏教でも密教の段階になりますと、イメージ第二群の働きに唯物論的なイメージ第一群が結びつけられて、現実世界の幻影的構成の解体作業はもっと徹底したものになっていきました。具体的にはヨーガyogaの技術が用いられます。インドにおける「新石器型」都市文明が生まれたモヘンジョダロの遺跡で見つかったテラコッタに、すでにヨーガのポーズをとるシヴァ神の姿が描かれています。シヴァ神のまわりには動物たちがまったりと寛《くつろ》いでいて、人間と動物との神話的な対称性が描かれています。おそらくヨーガは「旧石器型」の宗教においてすでに発見されていた身体技術なのであったろう、と推測されます。

ヨーガの体験は何層にも分かれる複雑ななりたちをしていますが、そのうちのいちばん深い層では、「内部光学」によるイメージ第一群の働きに焦点が合わせられ、その層での体験をもとにして密教化した仏教は、分厚い構成を持った幻想を文字通り「唯物論的」に解体する試みに取り組むのです。人間の心は、イメージの働きの複雑な構成体としてできあがっています。仏教では宗教というものを「イメージの構造とその運動体」としてとらえることによって、無意識が幻想として構成されているからくりをあきらかにするばかりではなく、イメージ論の認識そのものを使って、じっさいに人の無意識の構成をつくりかえてしまおうとしてきました。

その意味で、仏教は宗教ではないのだと思います。あるいはもうここまでくれば、こういう言い方をしても許されるでしょう。いま私たちが「宗教」と呼んでいる現象は、ホモサピエンスに根源的な宗教の「新石器型」の発現形態にすぎないものであり、イメージ第三群の強力な作用によって統一されているそれを、ひとことで「映画的構造」として理解することができます。

モーセにはじまる一神教monotheismは、「新石器型」宗教に備わったこの映画的構造を破壊して、より根源的な超越者の体験に開かれた宗教をつくりだそうとしてきました。それにたいしてブッダの覚醒をもとにかたちづくられてきた仏教は、それとはまったく異なるやり方で、宗教の映画的構造の超克をめざしてきました。ところが今となってはまことに残念としか言いようがないのですが、一神教は（とりわけ変形された一神教であるキリスト教は）どうしたわけか人類にとっての「最強の宗教」をめざしてしまい、そのあげくに9・11のニューヨークをはじめ多くの場所で、映画的構造の仕掛けた最悪の罠にはまり込んでいるように思われます。

そこで私は「フロイトに帰れ」をスローガンに掲げたジャック・ラカンにならって、「旧石器に帰れ」と主張したいのです。もちろんこれはなにも「電気も水道もない」暮らしに戻れといっているのではありません。私たち人類の心の深層部に今も生き続け、心の働きのもっとも重要な部分を作動させている、「心の中の旧石器」に帰る必要があります。なにごとでももっとも重要なことは、最初の飛躍のときにしか起こりません。そのあとは偉大な飛躍をくり返し模倣することしか、私たちにはできないのです。ホモサピエンスの心に起こったその最初の飛躍は、まだ私たちの心の中で動き続けています。現代人の心の中でさえ、それは最初のときのまま、たしかな作動を続けています。

そのさいイメージをめぐる唯物論的視点が、とても重要になってきます。私たちがイメージ第一群と呼ぶ、流動的知性に直接触れているイメージ作用は、「旧石器型」の宗教でとても大きな意味をあたえられていましたが、それをとおして私たちは映画的構造を持ついわゆる「宗教」なるものを、ほんとうの意味で相対化できるようになるからです。「宗教などはいらない」と言うのではなく、私たちが普通「宗教」と呼んでいるものがたとえないとしても、まったく問題のない世界を模索することです。そのときイメージのゼロ度であるこの第一群は、大きな意味をもってくるにちがいありません。

宗教について言えることが、そのまま経済についても言えます。マルクスは近代経済学が、貨幣というものの生みだす幻想の内部でくりひろげられている劇（それが悲劇か喜劇か茶番劇かはわかりませんが）を演劇評論家のようにして、劇がつくられ楽しまれている世界の内側から解説しようとしているのにすぎないと批判して、それに背を向けて、貨幣そのものが生みだされる原光景に踏み込んでいこうとしました。マルクスもまたある意味では「旧石器に帰れ」と語ろうとしていたのかも知れません。私たちもそれにならって、宗教とイメージと経済がひとつに交わる場所で、人間の心の秘密を解き明かす試みを深めていきたいと考えるわけです。

3　原初の貨幣としての仮面（イメージ第二群）

たいがいの経済学の本を見ますと、「交換exchange, échange」の過程から貨幣が発生した、と書かれています。物の交換をくり返しているうちに、共通の価値の尺度があらわれてきて、その価値を数で表現するために便利な貨幣というものがつくられた、というような説明です。貨幣が発生したときには、すでに交換が広く行われていたにちがいない、という前提にたっての考え方です。

ところが私たちは「対称性人類学」の試みの中で、交換は自分の能力だけで作動できる自律的なシステムとして生まれたものではなく、交換に先立ってすでに活動をはじめていた「贈与gift, don」と、おたがいを補完しあうような関係を持つシステムとして発達してきたことを、あきらかにしてこようとしました。これについての詳しい説明は『愛と経済のロゴス』(「カイエ・ソバージュ」Ⅲ)にまかせるとして、ここで重要なことは、もしも私たちが考えているように、交換が自分の力だけでは発生することができず、交換に先立って存在し、交換が広まっていくにつれてしだいに経済活動の表面からは陥没して見えなくなっていった贈与を土台にして生き続けているものであるとするならば、「貨幣とは何か」という問いかけも、とうぜんその意味を変えてこざるを得ないだろう、ということです。「交換にとっての貨幣」ではなく「贈与にとっての貨幣」という形に、問題の設定を変える必要があるわけです。

これについては具体的な例にそって説明するのがよいでしょう。現代人類学の理論的基礎を打ち固めたフランスの人類学者マルセル・モースは、『贈与論』の研究の中で、北アメリカ北西部海岸地方に住む、クワキウトゥル族やトリンギット族・ハイダ族・ツィムシアン族などのおこなう盛大な贈与の慣習に、きわめて大きな位置づけをあたえています。この地域のアメリカ先住民文化は、ある意味で「新石器型」文化のきわめて高度な段階に発達をとげていました。

貴族と平民と奴隷の区別のある階層性社会をなしていて、食料生産のための技術も発達していて生活も豊かで、魅力的な造形芸術で近隣の部族に一目置かれていたような人々でした。ただそこには王も国家もありませんでした。むしろ王や国家が生まれるのを阻止しようとする政治思想が、人々のあいだには浸透していて、それを支えていたのが対称性に根ざす神話の思考でした。神話的思考は生活のあらゆる場面で、生き生きとした働きぶりをしめしていました。経済活動でさえ、この神話的思考の影響に深く浸透されていました。これらの社会では贈与が、物品をとおした人々のあいだのコミュニケーションを実現していました。

贈与は何かを人から贈られたら、それにたいするお返しをする、という暗黙の定めにしたがっておこなわれる互酬システムです。しかしそこでは交換の場合のように、ある価値を持つものを受け取ったら、それに等価の価値をお返しするという、等価交換の規則は働いていません。等価の価値を受け渡していくことよりも、贈与で重要なのは、贈り物をとおして社会全体を見えない霊力が動いていくことである、そして贈り物について霊力が動いていくにつれて、人々は大きな「環」につながっていくようになる、と考えていました。彼らは商品交換は人々を互いに分離してしまうけれど、贈与はその逆に人と人とを結びつけるものである、と考えていたようなのです。

お互いのあいだのたしかな信頼の感情にもとづいて、人々のあいだを贈与をとおして贈り物が潤滑に動いていくとき、社会はまるで破綻《はたん》や陥没のない「なめらかな多様体」の表面のような、安定した様相を見せるようになるはずです。ところがこれらの社会をもっと詳しく見てみると、どうも事はそのようには進んでいかないようなのです。贈与がつくりあげようとする「なめらかな多様体」には、いくつもの「特異点」があって、そこへ近づいていくと、なにもかもが乱調な運動をはじめてしまうからです。

＊

これらの社会では、「ポトラッチ」という盛大なお祭りが、首長の葬式のような特別なときにおこなわれます。ポトラッチは贈与のお祭りです。ホスト役になった首長が別の村の人々をゲストとして自分の村に招待して、豪勢な宴会を開き、たくさんの贈り物をします。この場合の贈り物は普通は貴重品の毛布とか毛皮とかですが、首長はそれよりももっと貴重な品物を抱えて、みんなの前に登場します。それは大きな銅板で、表面に何かの顔のようなイメージが打ち出しされています。

目の飛び出た銅板をかかえるクワキウトゥル族の首長
Claude Lévi-Strauss, *“La voie des Masques”* Plon, 1979.

この銅板こそ、あらゆる品物の中の最高の貴重品で、それがゲストに呼ばれた村の首長に贈り物として手渡されることもありますが、しばしばそれは「お返しもできないほどに貴重な品物」であり、そんな貴重品にさえ執着しないほど自分は気前がよいのだということを表現するために、ホスト村の首長の手によって破壊されたり、海に投げ込まれてしまうというのです。これはいったい何を意味しているのでしょうか。

あらゆる品物の中で最高の価値を持つ品物、と言えば、すぐに思い出されるのは金貨です。金貨はあらゆる商品中で最高の価値を持つ商品として、もっとも早い時期から貨幣として使われています。貴重な銅板はその意味では、貨幣としての可能性をひめた品物です。贈与社会のポトラッチでは、祭りのクライマックスに、この潜在的な貨幣である銅板の破壊がおこなわれるのです。せっかく贈り物の交通によって、社会全体が大きな贈与の環で結ばれたかに思えたとたん、その美しい幻想を断ち切るかのように、貨幣＝銅板はその環から外へ飛び出していってしまうのです。

原初的な貨幣である銅板は、私たちの社会の貨幣のように交換の環の中に閉じこめられていることもないし、おとなしく贈与の環の中を循環しつづけるのでもなく、いつでも環の外に飛び出していこうとしています。交換や贈与の環は、その社会にとって価値を持つものの「有」の形態をかたちづくる力があります。その環の中にいれば、どんな富でも「有」と認められるし、その環から出てしまえば、価値としては「無」に帰してしまうでしょう。ポトラッチのお祭りにおいて、原初的な貨幣である銅板は、最高の価値物として認められた場所を捨てて、「無」の中にひと思いに飛び込もうと身構えているわけです。貨幣が価値の「有」を支えるのではなく、進んで自分を「無」に転換してしまおうとしています。つまり、私たちのことばで言えば、貨幣＝銅板はイメージ第二群と同じように、「有」から「無」への転換がおこる境界面を、みずからの存在場所としていることになります。

それだけではありません。さらに興味深いことには、この原初の貨幣＝銅板の表面に打ち出されているイメージは、仮面でもあるらしいのです。レヴィ＝ストロースは『仮面の道』という本の中で、銅板のイメージはこの地域の文化で大きな意味を与えられている「スワイフウェ」や「ゾノクワ」などの仮面の神々と深い関係を持っているのではないか、と述べています。じっさい仮面と並べてみると、おたがいの共通点がはっきり見えてきます。

スワイフウェやゾノクワという仮面神と原貨幣である銅板とが、隠喩的に結びつけられてい

スワイフウェ

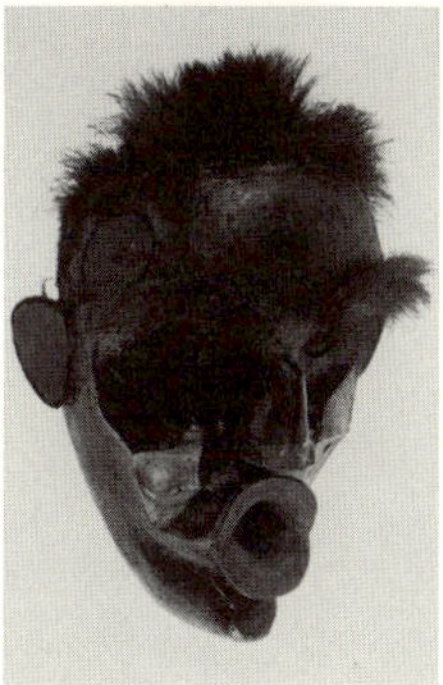
ゾノクワ
2点共に
Claude Lévi-Strauss,
"La voie des Masques"

る道筋を理解するのは、それほど困難ではありません。これらの仮面神の住処《すみか》は、湖底とも山中深くとも言われますが、いずれにしても人間の生きる世界の縁にあたる部分の境界地帯、あるいはその外の暗い領域であると考えられています。そこは死者の住む世界でもあるのですが、同時にあらゆる富の源泉の場所でもあります。スワイフウェやゾノクワはそこに隠されている富と財宝を守っているのです。

現実世界の富や幸運は、これらの仮面神の管理下にあるこの暗い潜在空間から、人間のもとにもたらされます。潜在空間に眠っているあいだ、富も財宝もまだ「無」の状態にあります。ところが仮面神を仲立ち（インターフェイス）として、潜在空間を出て富が現実世界にあらわれてくるとき、「無」は「有」に転換することになります。そのために、「無」と「有」の中間のどっちつかずの状態にいる者は、仮面神の接近を許しやすいと言えます。とくにゾノクワ女神（この仮面神は女性の神だと言われています）などは、山や森の奥から豊かな富をもたらしてくれる女神でありながら、先住民の村から子供をさらっていってしまう恐しい山姥《やまんば》でもあるのです。

仮面のイメージを打ち出した銅板と比較してみますと、両者の密接なつながりがあきらかになってきます。最大の貴重品である銅板は、社会的な富の「有」を支える贈与の環を抜け出して、「無」であると同時に「無尽蔵」でもある海中に飛び込んでいこうとしていますが、仮面神はその逆に「無」であり「無尽蔵」である海や湖の底から、社会的な価値を持った富を引き出してくると同時に、子供をさらって境界領域の向こう側に連れ去っていってしまう存在です。両者はよく似たやり方で、「有」と「無」の転換を司っているわけです。「仮面」が山姥的女神と貴重品の銅板をつないでいます。スワイフウェやゾノクワは仮面であらわされますが、銅板は自分の顔とも言うべき場所に仮面神のイメージを打ち出すことによって、仮面と山姥と銅板とをひとつの大きなイメージ群に統合しようとしているように見受けられます。地下の財宝を守っている神々をあらわす仮面と、貨幣の原初形態である銅板とは、イメージ第二群の特徴を共有し、隠喩はそこをとらえて、両者を一つに結び合わせようとしています。このようにして仮面と貨幣は、神話的思考にとっては「同じもの」を違うやり方で表現したもの、と理解されることになります。

このように、贈与社会に対応する貨幣は、商品社会を流通している貨幣とは違って、イメージ第二群に属する働きをしています。第二群のイメージは、「有」と「無」の転換がおきている境界領域を活躍の場としていますが、それと同じようにして、原初の貨幣は「有」と「無」の転換が起こる場所で、二つの領域をつなぐ働きをしています。それは仮面の存在様式とまったく同型をしめしています。そのような転換の起こる場所で、原初の貨幣は魔力を帯びつつ、経済活動の意味を他界につなぐのです。

もともと貨幣というものは、純粋に経済学的な意味を持った、交換のための道具などではなかったのです。それは仮面や贈与経済などとともに、「新石器型」の社会にイメージ第二群の作用としてほとんど同時に出現しています。第二群に属するイメージ群は、それ自身がインターフェイスとして、「有」と「無」の転換がおこる境界領域で活動をおこないます。そこは魔術が活動する場所でもあり、そのため原初の貨幣には魔力が宿ることになります。

ポトラッチのクライマックスに海中に投ぜられる銅板のように、原初の貨幣は贈与や交換の環を破って、その外に突き抜けていこうとする衝動を宿しています。それはまた、人の身体のなめらかな表面に穴をうがって、深層心理への通路を開く力をも持っています。「新石器型」社会の初期にすでに出現を果たしていた原初の貨幣は、経済学的であるばかりか、それよりもいっそう精神分析的存在であり、人間の心を不可視の暗い空間につなぐ力を持っていました。そう考えてみれば、この講義にも何度か登場したことのある、ジョルジュ・バタイユの「一般経済学」とは、貨幣が仮面と一体である原初的な経済学の別名なのではないかという気がしてきます。

4　メタモルフォーシス経済学（イメージ第三群）

貨幣を経済的合理性のカテゴリーだけで理解しようという考え方は、間違っています。なぜなら、貨幣は流動的知性の発生にうながされながら、まずイメージ作用の一形態として、ホモサピエンスの心に生まれたものであったからです。それは私たちのいわゆるイメージ第二群としての構造を持ち、贈与経済の中でその最初の萌芽があらわれ、仮面と結びついて、価値や富が「有」「無」の転換をおこす境界面上で、経済と宗教と表象の問題をひとつに結びあわせる力を持った存在でした。

ですから貨幣はとうぜん、この講義で私たちが追究している「宗教の映画的構造」という主題にとっても、大きな問題を突きつけます。宗教と映画と貨幣が、ほぼ同じような道をたどって、それぞれの現代的形態にたどり着いているように思えるからです。おたがいの関係を簡潔にまとめてみましょう。

◎宗教の場合

少なく見積もっても、数万年の歴史を持つ「旧石器型」の宗教はいったん解体されて、「新石器型」の宗教に再編成されましたが、そのさい「旧石器型」宗教で大きな意義をあたえられていたイメージ第一群の作用は、「新石器型」宗教ではもはや表面にはあらわれてこなくなりました。かわって中心的な働きをするようになったのが、イメージ第三群の作用でした。このイメージ群はいわば「有」から「有」へのメタモルフォーシスから力を得ていますので、ダイナミックに動きつつも自分の内部に閉ざされているという特徴を持つ都市共同体の同一性を表現するには、うってつけの能力を発揮するからです。

これにたいして「有」と「無」の転換がおこるインターフェイス上で働くイメージ第二群に属する神々は、共同体の外から「まれに」やってくる来訪神のスタイルをとってきました。このタイプの神々は仮面をまとい、あの世との境界面を渡って、この世にその姿をしばしの間だけあらわすのです。しかし、都市と国家の発達につれて、「新石器型」宗教の中心は、イメージ第三群の作用に移ってきました。そのピークにあって、エジプトやメソポタミアの都市的な宗教が発達したわけです。モーセ革命にはじまる一神教の冒険は、このような「新石器型」宗教の超克をめざして、開始されたのでした。

◎映画の場合

映画はまだ百年ほどの歴史しか持ちませんが、長い潜在的な「前史」を持っています。旧石器の洞窟に残された宗教＝芸術のはじまりをしめす痕跡の中に、すでに「第一群」「第二群」「第三群」と三つの異なるイメージ作用が見いだされます。このうちイメージ第一群は、人類の心の内部に動く流動的知性に直結している、内面的運動を直接的にあらわしています。イメージ第二群はその内面的運動を、視覚がとらえる外の世界のイメージで覆うことによって、内面と外界との中間にある創造的な空間を開くのでした。そして、第三群のイメージになると、もはや心の内部で動いているイメージ第一群との関わりを感じさせないほどの自律性を持つようになり、イメージがみずからの権能でメタモルフォーシスしていくようになるのです。

このようなイメージの複構造のせいで、映画が発明される以前から、人類には映画の出現が求められていたとも言えます。ホモサピエンスの心には、三つの異なる構造の複合である、イメージの運動体が活動し続けてきました。その心の運動体が映画の出現を求めていたのです。映画には第一群から第三群にいたる、三つのイメージ作用のすべてが見いだされます。映画的快楽のもっともプリミティブな地層では、イメージ第一群の作用が重要な働きをしています。モンタージュなどの詩的効果は、もっぱらイメージ第二群の働きによっています。しかし今日の商品的映画において支配的なのは、もっぱら幻想的なイメージ第三群の強力な作用です。

第三群のイメージにあっては、イメージの諸単位はメタモルフォーシスの関係として、たがいに接続していきます。映画の初期の段階（サイレント映画）で大きな働きをおこなったモンタージュの場合、隠喩や換喩の関係で結ばれるイメージ同士の間には「隙間」が開いていて、一つ一つのイメージはそこに近づいていくとき、「無」の中に消えていきます。つまり一つ一つのイメージはそれ自体としては「有」「無」を転換させるイメージ第二群としての働きをおこない、それらが互いに重ね合わされるときに、アナロジー（喩、類化作用）によって新鮮な意味が発生するようにつくられていました。

ところがそれがイメージ第三群に組織されると、イメージ単位の間で機能していた「隙間」

の効果が消されて、意味価値の「無」の作用がイメージの表面に及ばなくなってしまいます。そのためにそれぞれのイメージは喩的機能で結ばれるかわりに、つぎつぎと連続的なメタモルフォーシスをとげていくようになります。「有」が際限ない自己変容をとげていくわけです。

ここにはたやすく「物語」が結びつきます。それは物語そのものが、「有」の意味のメタモルフォーシスとしてつくられ、私たちの意識がいったん物語の意味場で起こる自己変容の運動に巻き込まれると、ダイナミックに変容していく幻想の中に飲み込まれてしまうからです。現代の商品的映画の多くが、このようなイメージ第三群の働きを最大限に利用することによって、利潤を上げています。その意味では、今日の映画産業は、いわばモーセ革命前夜のエジプトの状態にあると言うことができるのではないでしょうか。

宗教の歴史は数万年を超え、映画の歴史はまだ百年そこそこです。しかし、両者の間には驚くべきパラレルな関係が存在しています。その理由はおそらく、宗教と映画がともにイメージの運動体として、ホモサピエンスの心の全体性に関わっているからです。どちらも三群をなすイメージの構造と運動から生命を得ていますが、その構造そのものが、流動的知性の発生にはじまるホモサピエンスの心の本質的な部分をあらわしています。そのために、宗教は映画が発明される以前から映画的構造をしめしていたし、映画は宗教においておこったことを、イメージ論的になぞっているように見えるわけです。

＊

それならば、今日の講義の主題である貨幣の場合はどうでしょう。

貨幣は文化の「新石器型」再編成の過程のうちから生まれてきたものです。「旧石器型」の思考は、「有」の形態をとった富の保存や交換ということにあまり関心を持ちません。そのためにそこでは、貨幣の発想は生まれにくいのです。「新石器型」社会の豊かな富が、貨幣の発生を促したことはまちがいありませんが、はじめそれは贈与経済と密接に結びついていたようです。そのために最初の貨幣は、私たちの言うところのイメージ第二群の機能を果たしていました。

イメージ第二群としての原初の貨幣は、同じような仕組みを持つ仮面と同様にして、「有」「無」の転換が起こっている境界面上の存在として、いつでも贈与と交換の環の外に飛び出してしまおうと身構えています。その時代の土器などと同じように、原初の貨幣は破壊や消尽への衝動を、自身のうちに抱え込んでいたのでした。このような原貨幣が機能している贈与社会では、贈り物の移動や返礼への義務がつくりあげる流通の空間は、「なめらかな多様体」としてはできていません。ポトラッチや消尽のお祭りがおこなわれる地点で、流通の多様体は突然なめらかな運動が破綻してしまう「特異点」を、抱え込むことになるのです。

イメージ第二群はこのように、ところどころに特異点の穴を抱えています。贈与経済そのものが、特異点の存在を前提にしていると言ってもいいでしょう。そういう贈与経済のただなかに、はじめは贈与の派生形態としてひっそりと出現した交換経済は、豊かな富を背景に進行していく「新石器型」社会への再編成の過程を通じて、ついに贈与経済を圧倒してしまいましたが、そのさいに原初の貨幣のイメージ第三群への改造が、試みられたのでした。

イメージ第三群としての貨幣は、特異点を解消して、経済活動のおこなわれる空間を「なめらかな多様体」につくりかえてしまいました。どういうやり方がとられたかと言いますと、それまでの贈与経済の中で「無」の特異点が置かれていた場所に、現実的な富の世界の中でももっとも価値の高い、もっとも貴重な貴金属を詰め込んで、特異点を経済活動の表面から見えなくさせてしまうという、巧妙なやり方でした。そうしてつくられた新しいスマートな貨幣は、原初の貨幣のように特異点に陥没することもなく、なめらかな経済活動のおこなわれる空間の中を、自由自在に流通していくことができるようになりました。

このスマートな貨幣は、自分自身がメタモルフォーシスしていく能力を秘めています。貨幣自身はクールな容貌をした貴金属ですが、それは交換を通して、別の商品に姿を変えていきます。その商品は消費されるか、商人の手で売られて、ふたたび貨幣形態を取り戻します。こうして、マルクスが『資本論』に描き出したように、つぎのような商品のメタモルフォーシスの連鎖が生まれ、新しい経済体制が打ち立てられていきました。この図式を、私たちはイメージ第三群の運動法則として理解することができます。

……↓G↓W↓G↓W↓G↓W↓G↓W↓……

（Gは貨幣をあらわし、Wは商品をあらわす。ただし貴金属の貨幣はもっと価値の高い商品として、商品の一形態と理解される）

経済の領域でも、こうしてイメージ第三群が覇権を握っていきました。宗教や映画の領域で起きたことと同じ本質を持った事態が、人々の暮らしの「下部構造」を決定する経済の領域でも起こったわけです。イメージ第三群がさまざまな領域で重要性を増してくると、その社会ではいろいろな領域に、「有」のメタモルフォーシスを回転させていく、同じ運動法則が貫徹されていくようになります。その結果、近代の社会では、宗教と映画と貨幣経済が、同じイメージ第三群の運動法則のもとに、内在的なつながりをはっきりとしめすようになるのです。

ここから私たちは、近代経済学が数学を使って記述される、数量化経済学としての性格を強く持っていることの理由を、はっきりと理解することができます。近代社会の経済は、商品の生産・流通・交換・消費からなる巨大なシステムとしてつくられていますが、そこでは「商品の中の商品」である貨幣の存在が、大きな役割を果たしています。しかし、私たちが見てきたように、そこでの貨幣はあきらかにイメージ第三群としての構造を持っています（贈与型の経済では、それにたいしてイメージ第二群の構造を持った原貨幣が、贈与の環の中を動いています）。

イメージ第三群としての貨幣は、商品と呼ばれる「有」の諸形態をメタモルフォーシスさせていく強力な手段です。そのためにこの型の貨幣は、社会全体をひとつの「なめらかな多様体」につくりあげて、しかもそれを維持していく能力をおびることになります。イメージ第三群の貨幣によって塗り込められたこの「なめらかな多様体」の表面を、無数の商品が滑走していきます。近代数学は微積分学の先に生まれてきた多様体論を発達させることによって、このような「なめらかな多様体」の表面でおこることを、正確に表現するための手段を発達させてきました。

貨幣と商品でつくられた社会の経済は、それゆえ自分の本質を数学を用いて表現することができるし、またそうしてもいっこうに不都合は生じません。ただ、資本主義社会を生きている人類も、後期旧石器以来の人類とまったく同じ、ホモサピエンスであることを忘れてはなりません。私たちホモサピエンスの心の本質をなすものは、流動的知性の運動であり、それはイメージに転換されると、唯物論的な第一群からはじまって、「有」「無」の転換構造を持つインターフェイスとしての第二群と、そしてこの「有」のメタモルフォーシスを実現する第三群のイメージとの複合体を生み出します。私たちの心は、この複合体として活動するときに、もっとも豊かな可能性を自分の中から引き出すのです。

ところがそこで、イメージ第三群の働きだけがイメージ論的覇権を握ってしまうと、イメージ作用そのものが、ホモサピエンスの心の自由な可動領域を、逆にいちじるしく狭めてしまうようになるでしょう。ここに資本主義の抱える大きな問題が発生するのです。人類の心は流動的知性を本質とする以上、おのずからイメージ第二群としての原貨幣を発生させ、ついにはイメージ第三群の作用による貨幣を発生させる可能性を、自分の内部にはじめから宿していますが、その展開の果てに自分が生み出してしまったシステムに、苦しめられてきました。

私たちはいったい、これからどこをめざせばよいのでしょう。「クオ・ヴァディス Quo Vadis（あなたはいずこへゆくのですか）」という聖書の問いかけは、いまも私たちに突きつけられたままです。人の活動する空間をたとえ宇宙空間にまで広げていったとしても、この問いには答えられないでしょう。どこをめざせばよいのか、私たちにはおぼろげながらその答えが見えてきています。それは宇宙空間などではなく、ホモサピエンスとしての私たちの心の内面に広がる空間にほかならないのではないでしょうか。

その内面空間は、容積わずか一リットルあまりの脳をインターフェイスとして、現実世界の中にみずからをアクチュアライズするのですが、不思議なことに内面空間の組成も潜在能力も、それがはじめて地球上に出現した後期旧石器の頃と、少しも変化していないのです。

お前はまだそれを知らないのか？
お前の胸に抱いている空虚を
私たちが呼吸する空間へ投げ入れるがいい
おそらくは鳥たちが感じるだろう
さらに心をこめて飛翔しながら

その広がった大気を

（ライナー・マリア・リルケ『ドゥイノの第一悲歌』）

このリルケの詩が語ろうとしている心の内面空間は、さいわいなことに私たち人類の心の中で、いまも滅び去ってはおりません。その空間は私たちの内部でいまも呼吸を続け、そこを飛ぶ鳥たちはのびのびと広がる大気を、そこに感じているのです。

5　貨幣の宿命としての贋金

『ラルジャン』という映画を深く理解するためには、まだもう少し語っておかなければならないことがあります。それは、イメージ第三群としての貨幣は、かならず自分の中から「贋金《にせがね》」を発生させざるを得ない、そのメカニズムに関わる話です。

イメージ第二群の作用は、「有」と「無」の転換を表現しようとしていますから、それが現実の中に置かれたとしても、完全には現実世界に所属しきれない部分を残します。つまり、このタイプのイメージは現実世界の中に、数学で言うところの特異点を発生させてしまうのです。この特異点はイメージの形としてたとえ現実の中に置かれていたとしても、「無」を抱えているわけですから、人間的な価値や意味の外部への通路ともなっていることになります。つまり、このタイプの原貨幣は、社会の表面にうがたれた「穴」をかたちづくることになるわけです。

金や銀のような貴金属でできたイメージ第三群に分類されるべき貨幣は、この特異点の穴を埋めてしまうことによって、商品が運動していく多様体としての社会の表面を、なめらかな曲面につくりかえようとします。そうしておけば、いつなんどき「有」であったはずの価値が「無」の領域に消え去ってしまうか知れないなどという恐れを抱くことなく、交換の環を保ち続けることができるからです。そして、金や銀の貨幣として、社会の内側に取り込まれてしまった特異点（もうその時点で、特異点の解消がおこってしまっているのですが）は、交換の環全体にたしかな秩序をもたらす中心のような存在となり、その場所を埋めている金や銀の貨幣は、通貨体制全体にとっての「王」のような存在となるわけです。

しかし、そうやって通貨体制に君臨している王のようにも見えた金銀は、じっさいのところはほんものの中心ではなく、一種の擬‐中心であったにすぎません。それは交換がつくりあげるなめらかな表面のそこかしこにあいた「無」の穴を埋める働きをしているものの、交換のシステム全体がそれによって支えられているわけではないからです。

こう考えてみますと、さまざまな帝国の王たちが自分の肖像を貨幣に刻印したがったことの理由というのが、なんとなく見えて

コンスタンティヌス
銅貨

くる気がします。たしかに王と貨幣の間には、隠喩で結ばれてもおかしくない関係が存在しているようです。

じっさい「王」とは貨幣と同じように、社会にとっての擬－中心としての存在にすぎません。私たちはすでに『熊から王へ』（「カイエ・ソバージュ」Ⅱ）に結実することになった比較宗教論講義（二〇〇一年度）において、王という存在とそれに深く結びついた国家の概念が、イメージ第三群による諸システムが生成されるのとまったく同じプロセスをとおして、かたちづくられてきたものであることをあきらかにしてきました。

国家というものがまだ出現していなかった頃の社会では、人間の生存を支えている「力の源泉」は、社会の外、文化の外、人間的な意味と価値の外にあると考えられていました。森の奥深くに生きていると考えられた神話的な動物や精霊などが、その力の源泉を体現するものでした。そういう社会には、王も国家も存在できません。だってもしもそんなものが存在してしまえば、力の源泉が人間世界の内部に持ち込まれてしまうという、ナンセンスな事態がおこってしまうでしょうからね。

力の源泉が社会の外にあると考えていた、王もなくまた国家もない社会では、イメージ第二群の働きをもとにしたいろいろな組織が、社会全体を動かしていました。周期的に社会の内部に、「死」や「無」を運び入れるための儀式やお祭りが発達して、そのたびに人々は死の中からのよみがえりや、カオスの中からの秩序の再生を体験していたのです。社会の中にはいくつかの特異点があって、そこをとおして力の源泉のある社会の外に触れていたとも考えることができるでしょう。

のちに王と呼ばれることになる人物は、みずからがこの特異点になろうとしました。そのために、最初に出現した「魔術王」たちは、自分たちこそがいままで社会の外に潜んでいるとばかり思われていた力の源泉を体現する者だ、という図々しい主張を掲げました。自分たちはいままで力の源泉を独占してきたドラゴンや大蛇を退治することによって、それら怪物たちが持っていた力の秘密を手に入れて、安全に社会の内部に持ち込むことに成功したのであると宣言して、王の位について国家をはじめたのでした。かつて人間の生きる社会の中心は、人間的世界の外にあったものなのに、王はそれを社会の中に持ち込んで、みずからが宇宙の中心であると主張しようとしたわけですから、王は中心ではなく、貨幣の場合と同じように社会の中に持ち込まれた擬 - 中心であるにすぎません。

王権の根拠は、もともと自然の奥深くに隠されている力の源泉にあり、自分はいまもその力と結びついていると主張する王権ならば、アフリカの部族王や天皇の場合のように長期間にわたってシステムを維持することも可能でしょうが、そうでない場合（こちらのケースのほうが圧倒的に多いのですが）、王権はつねに交代と簒奪《さんだつ》の危険にさらされていることになります。王朝が交代した場合、とうぜん前の王からすれば現在の王は「偽物」ということになりますし、今の王からすれば先王朝の王は「偽物」です。自分の存在根拠を社会の内部とか天上の神々に求めようとする王権は、それゆえ自分自身のデュアル（双対）としての「偽王」の出現を、くい止めることができないことになります。

＊

同じことが貨幣についても言えます。イメージ第二群としての原貨幣はつねに自分を消尽して「無」に帰せしめようという衝動を抱えているために、そこでは本物と偽物のちがいは大きな問題にはなりません。ところが、イメージ第三群として「有」の体系を持続していかなければならない貨幣にとっては、贋金の出現は由々しい問題を引き起こします。金や銀の貴金属は諸商品の「王」として、交換の環がつくる経済的秩序世界に君臨しようとしますが、交換体系そのものを支える原理を自分のうちには持っていません。

交換の体系の根拠は、それの前身をなす贈与の体系のうちに隠されています。そしてその贈与の体系は、贈与の環を断ち切って「無」（私は『愛と経済のロゴス』「カイエ・ソバージュ」Ⅲにおいて、その「無」に「純粋贈与」という概念を与えました）の中に跳躍していってしまおうとする衝動を抱え、いわばその「無」に自分の根拠を見いだしているのですから、それを改造した交換体系の根拠もまた、見えないところに隠されている「無」のうちにある、と言わなければならないでしょうが、そんなことを宣言する勇気は交換体系にはなく、ただ周期的に恐慌におちいるたびに「無」の淵をのぞきこむことによって、いわば「受動的に」自分の根拠である「無」の前に立ってきたのでした。

あらゆる王が偽王である可能性を持っています。それと同じように、どんなに見事に鋳造された貨幣でも、みずからが贋金である可能性を払拭《ふっしょく》することはできません。鋳造貨幣が贋金でないことは、それを発行した王や皇帝や国家が保証しようとします。しかし、その王や国家ですら自分の根拠を持たないのですから、これはどこまでいっても堂々巡りです。イメージ第三群としての貨幣は、贈与経済の思考から生み出されてしまう特異点の穴をふさいで、交換がおこなわれるなめらかな空間をつくりあげることはできても、交換体系の全体を支える「王」のような存在には、けっしてなることはできません。

それどころか、じっさいの王たちでさえ、いつまでも秩序の中心に君臨していることはできなかったではありませんか。近代社会はつぎつぎと王権を打ち倒して、権力の中心はしだいに社会の表面全体に拡散していく方向に向かってきたではありませんか。貨幣の場合にも、まったく同じ過程がおこっています。金や銀でつくられたいわゆる「本位貨幣」が経済体系の安定を支えているという信念は、すでに十九世紀には動揺を見せ始め、二十世紀の前半にはそういう信念そのものが解体してしまいました。もはや経済システムに中心などは存在していませんん。こういう議論はふつう「ポストモダン論」と呼ばれていますが、私たちには、そこで語られていることの多くが、イメージ第三群の内部に起きている分解過程が引き起こす、さまざまな事象に関わっているのにすぎないようにも見えます。「無」を取り除こうとしてきたイメージ第三群は、まさにそのことによって、同じような過程をへて自己解体していくのです。

じっさい近現代の歴史を、イメージ第三群の運動法則の歴史として描き出すことが可能です。宗教の領域でも、表象の領域でも、経済の領域でも、およそ第三群のイメージ機能を中心にして組織されてきたすべてのシステムが、今日においては危機にさらされてしまっています。しかし、この危機のさなかにあっても、ホモサピエンスとしての人類の心の構造じたいは、変化していません。人間のうちにいささかなりと真実が残されている場所があるとすれば、おそらくそこにしか残ってはいないはずです。

イメージ第三群の運動法則

力の源泉としての外部の中心
（国家なき社会、特異点の存在）

↓

力の源泉の内部への繰り込み
（国家の発生、特異点の解消）

↓

王という擬－中心の支配

↓

さまざまな擬－中心の出現
（モダン）

↓

さまざまな擬－中心の解体
（ポストモダン）

↓

Quo《クオ》 Vadis《ヴァディス》

さて、長い準備体操をすませて、ようやく『ラルジャン』という作品を見るための、準備が整ってきたようです。けっして楽しい映画ではありません。むしろみなさんの心を締めつけるほどに厳しい映画です。商品社会の中でこのような映画が存在すること自体が、なにか奇跡のようにも思えます。この映画そのものが宗教の構造を持っています。しかも主題は貨幣です。つまりこの映画では、たった今私たちがあきらかにしたばかりの、宗教＝映画＝経済を貫くイメージ第三群の運動法則そのものが、主題としてとりあげられているのです。ではどうぞ、前半の講義での話題など思い出しながら、映画と宗教と貨幣の同一性を暴く、このラジカルな映画をごらんになってください。

「ラルジャン」

ロベール・ブレッソン監督　L'argent　一九八三年　フランス・スイス

〔写真協力　(財)川喜多記念映画文化財団〕

二人の高校生が写真店で偽札を使うことで物語は始まる。偽札をつかまされた写真店の主人は、これを燃料店への支払いに使う。その燃料店の従業員イヴォンが、そうとは知らずに食堂で偽札を使って告発され、写真店の店員リュシアンの偽証で執行猶予付きの有罪判決が出る。

一方、リュシアンは商品の値札を貼り替えて、差額をごまかしていたが、発覚してクビに。店の合鍵を持ったままクビになったリュシアンは、写真店から、銀行の自動支払い機から、金を盗む。盗んだ金を慈善に寄付して、新しいヒーロー気取りである。

一方、イヴォンは知人の強盗の片棒を担ぎ、獄中へ。その間、娘が病死、妻の心は彼から離れる。それを中傷した同房の者を殴ろうとして、独房送りになる。そして、自殺未遂。イヴォンが病院から戻ると同時に盗みで捕まったリュシアンが入所。イヴォンに偽証の赦しを乞い、その見返りとして脱獄の誘いをする。しかし、イヴォンは、刑期をまっとうする。

出所後、泊まった安ホテルで、イヴォンは主人夫妻を惨殺し、金を奪って逃走する。

ある村で出会った家政婦の世話になる。アル中の父、車いすの息子を抱え、それでも一所懸命に生きる聖女のような彼女は、事情を知ってもひたすら彼を匿《かくま》い続ける。しかし、最後にイヴォンは「金はどこにある」と叫びながら、一家を惨殺してしまう。

原作はトルストイ『にせ利札』。偽札が一人の青年の運命を翻弄していくさまを描く。題名「ラルジャン」は、「お金」の意。

紀伊國屋書店
©1983 Marion's films / FR3 / Eos Film-Chêne Bourg

リュシアンは金を盗む

イヴォンに別れを告げる妻

独房送りのもとになる事件

6　トルストイの啓示《ヴィジョン》

再開しましょう。この映画は、ロシアの小説家トルストイが書いた未完の作品『にせ利札』を原作としています。トルストイは生前この作品を完成することができませんでした。その頃のトルストイを突き動かしていた破壊的想像力は、さすがの文豪の筆をもってさえ追いついていけないほどにすさまじい展開を、この老作家に着想させたのでした。

利札（りさつ、りふだ）というのは、公債や社債などの有価証券から発生する利子を支払ってもらうためのチケットで、一種の貨幣だと考えてよいでしょう。悪賢い友人にそそのかされた地方税務監督局長の息子が、この利札に親が記入した金額を一桁増やして書き換えてしまう、ここからすべての恐ろしい展開がはじまってしまったのです。にせ利札をつかまされた善良な農民イワン・ミローノフは、贋金使いの犯罪人として社会からつまはじきにされ馬どろぼうとなり、それが発覚して村人に殺されるのですが、このイワンを殺した村民ステパンもまた血なまぐさい犯罪につぎつぎと手を染めていくようになります。

それればかりか、まるで原子炉の核分裂連鎖反応のように、この男の周辺からはじまった転落の連鎖反応は、つぎつぎととめどのない広がりを見せ始め、ついにはロシア皇帝の身辺にまで及ぶほどになります。最初ににせの利札をつくって使用した者からはじまり、知らず知らずにそれをつかまされた者、犯罪に巻き込まれた者、進んで犯罪に手を染めていく者……へと、転落の連鎖反応が際限なく広がっていく様を、トルストイ自身なかば呆然としながら書き進めていったのでした。

そのすさまじい転落の連鎖反応の生成と拡大の様子を、ここでは図表にしてしめしておきましょう。

どこの世界でも贋金の使用者がみつかれば、たちまちにして共同体からの追放刑を受けることになります。ここで「共同体」と言っているのは、正確に言うと「富の共同体」とでも言うべきもので、その中で暮らしていきたいのならば、贋金ではなく、しかるべき権力から認定された正しい貨幣の使用者でなければなりません。富の共同体に所属しているかぎり、その人は家族を持つこともできるでしょうし、相応の富の配分を受けて、文化的な暮らしを送っていくこともできます。

ところが贋金を使ったが最後、一転してその人は転落していくことになります。富の共同体からは追放され、妻は去り家庭は崩壊し、それなりの程度の文化的な暮らしさえ享受できなくなります。つまり、贋金使いは「野生状態」へ追いやられていくのです。近代社会では交換の体系が富の共同体をつくっています。そこでの最大のタブーが贋金使用と言うことなのですから、タブーを侵犯したら人は共同体の外、非文化の藪地《ブッシュ》へ去らなければならないのです。

それにしても、トルストイの描く「野生状態」への転落には、私たちの想像を超えたすさま

『にせ利札』の連鎖反応

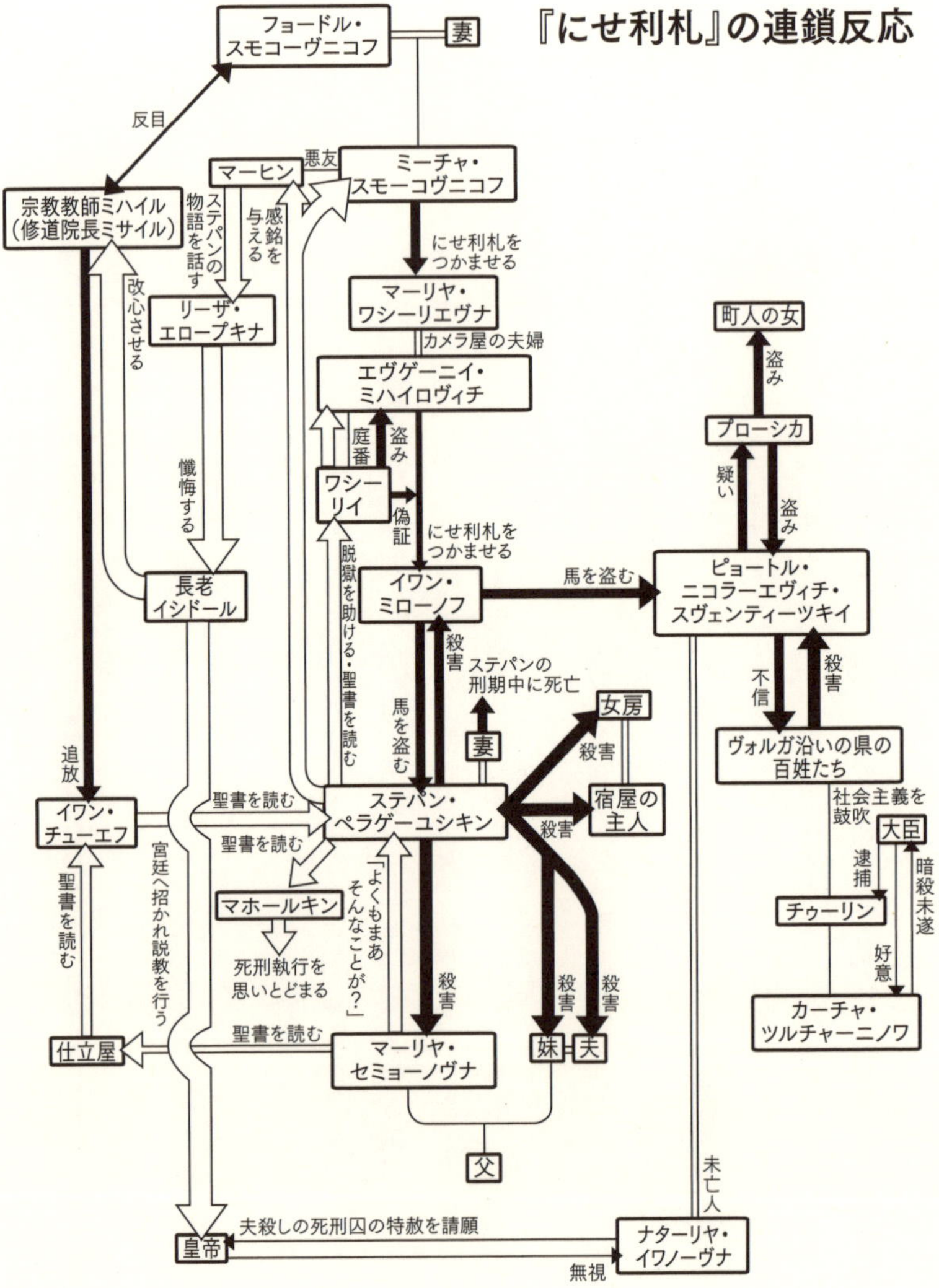

フョードル・スモコーヴニコフ
妻
反目
マーヒン
悪友
ミーチャ・スモーコヴニコフ
宗教教師ミハイル（修道院長ミサイル）
ステパンの物語を話す
感銘を与える
にせ利札をつかませる
マーリヤ・ワシーリエヴナ
改心させる
リーザ・エロープキナ
カメラ屋の夫婦
エヴゲーニイ・ミハイロヴィチ
町人の女
盗み
プローシカ
庭番
盗み
ワシーリイ
偽証
にせ利札をつかませる
懺悔する
疑い
盗み
脱獄を助ける・聖書を読む
長老イシドール
イワン・ミローノフ
馬を盗む
ピョートル・ニコラーエヴィチ・スヴェンティーツキイ
殺害
ステパンの刑期中に死亡
不信
殺害
女房
馬を盗む
妻
殺害
ヴォルガ沿いの県の百姓たち
追放
聖書を読む
ステパン・ペラゲーユシキン
宿屋の主人
社会主義を鼓吹
イワン・チューエフ
殺害
大臣
聖書を読む
逮捕
暗殺未遂
マホールキン
「よくもまあそんなことが？」
チューリン
聖書を読む
宮廷へ招かれ説教を行う
死刑執行を思いとどまる
殺害
殺害
殺害
好意
カーチャ・ツルチャーニノワ
聖書を読む
仕立屋
マーリヤ・セミョーノヴナ
妹
夫
父
未亡人
夫殺しの死刑囚の特赦を請願
皇帝
ナターリヤ・イワノーヴナ
無視

レフ・トルストイ『にせ利札』 一九〇三〜一九〇五年

小遣いの無心をにべもなく父に拒否されたミーチャ少年は、悪友のマーヒンにそそのかされてカメラ屋ににせの利札をつかませる。利札がにせものであることに気づいたカメラ屋の主人は、これを農民のイワンへの薪代の支払いに使う。それと知らず酒場でにせ利札を使ったイワンは警察へと連行される。釈放された後、馬泥棒に身をやつしたイワンは、彼が盗んだ馬の飼い主であったステパンに頭を石で殴打されて死ぬ。ステパンには二年の刑期が与えられた。刑期を終え釈放されたステパンは、転がり込んだ宿屋の主人と女房を斧で切り殺す。次に彼が向かったのは、信心深い寡婦のマーリヤ・セミョーノヴナの家だった。「金はどこだ?」とナイフを突きつけるステパンにマーリヤは身じろぎもせずに言う。「お前さんは、よくもまあそんなことが?」その声と眼差しに耐えることのできないステパンは、彼女ののどを切り裂く。

以来、ステパンの脳裏からは寡婦の姿と声が離れなくなった。自首したステパンを待っていたのは、仕立屋を介してマーリヤの信仰心を受け継いでいたチューエフだった。彼はステパンに、聖書を読み聞かせる。ステパンはその言葉を深く理解し、じきほかの徒刑囚へ自らの老女殺しの告白とともに福音書を読み聞かせるようになった。公判がはじまると、その予審判事となったのは法科を卒業したマーヒンだった。ステパンの答弁は、マーヒンにも感銘を与えるのである。

マーヒンは、婚約者の候補の一人であるリーザにその一部始終を話す。それは彼女にとって啓示となった。彼女の深い信仰に満ちた懺悔は逆に修道院の長老イシドールにも深い感銘を与えた。以来彼の説教は人々のあいだで評判となり、ついには宮廷に招かれて皇帝の前で説教を行うまでになる。それから十年がたったある日、技師として高給を受けてシベリアの金鉱で働くミーチャはステパンと出会うことになるのだった。

じさがあります。それはおそらく、この十九世紀末のロシアの作家にとって、近代の貨幣制度の中での人々の暮らしなどというものが、寄る辺ない漁民の生きざまのように見えていたからなのではないでしょうか。私たちは安定した商品社会の大地の上で暮らしていると思い込んでいますが、じっさいには見かけだけは立派だけれど粗末な骨組みしか組んでいない危うい船に乗り込んで、逆巻く海の上をさまよっているのにすぎないのではないか、とトルストイはとらえていたのでしょう。

この船の底はあまり丈夫につくられていません。なぜなら、その船底は人類としてのもてる能力のすべてを投入して出来ている図太いしろものではなく、イメージ第三群に属する思考作用だけを頼りにつくられた、危うい構造しか持っていないからです。近代人の生きる貨幣制度に守られた生活などは、いわば板子一枚下は文字通りの地獄である。これが晩年のトルストイに『にせ利札』を書かせた啓示《ヴィジョン》だったのだと思います。

*

これを見ても、当時のロシアはつくづく近代社会としては遅れていたのだと感じます。この小説では、贋金の使用が引き金になって、人々が短い期間につぎつぎと富の共同体から転落して、文字通りの「野生状態」に踏み込んでしまいますが、そのことはロシアにはまだ、「有」を持続させていくイメージ第三群作用の経済社会が育っていなかった事情を、よくしめしています。同時代の偉大な文学者ドストエフスキーが描いているように、東方キリスト教会の精神

ジッドの『贋金使い』

イメージ第三群
- 金本位制＝父権制
  または擬 - 中心の存在
  ↓
- 信用通貨制＝家族の解体
  または中心の喪失

トルストイの『にせ利札』

イメージ第三群	正しい貨幣 ＝ 偽物の貨幣
	↓
イメージ第二群	野生状態
	↓
イメージ第一群	神を見る体験

がまだ生き生きと活動していたロシアにあっては、「無」である神こそが真実であるという考え方が、深く浸透していました。キリスト教文化ばかりではなく、芸術や思想などのあらゆる分野において、ロシアではまだイメージ第二群に属する詩的なるものが、民衆にもおおいに尊重され、生きていたのでした。そういう世界では、近代社会の基礎をなす通貨制度は、人々の心の中でまだ分厚い「有」の地層を形成していなかったのです。

このことをさらに深く理解するためには、トルストイの『にせ利札』を、贋金の使用を主題にしている西ヨーロッパで書かれた別の小説と比較してみるのがいいでしょう。それはフランスの作家アンドレ・ジッドが一九二六年に出版した小説『贋金使い』です。この小説では、家族の一員に贋金の使用者がいる家庭の解体が描かれています。こんども小説の内容を、『にせ利札』のときと同じように図表にしてしめしてみましょう。

ジッドのこの小説は、ポストモダンの状況を先取りする一

『贋金使い』の内部秩序の変容

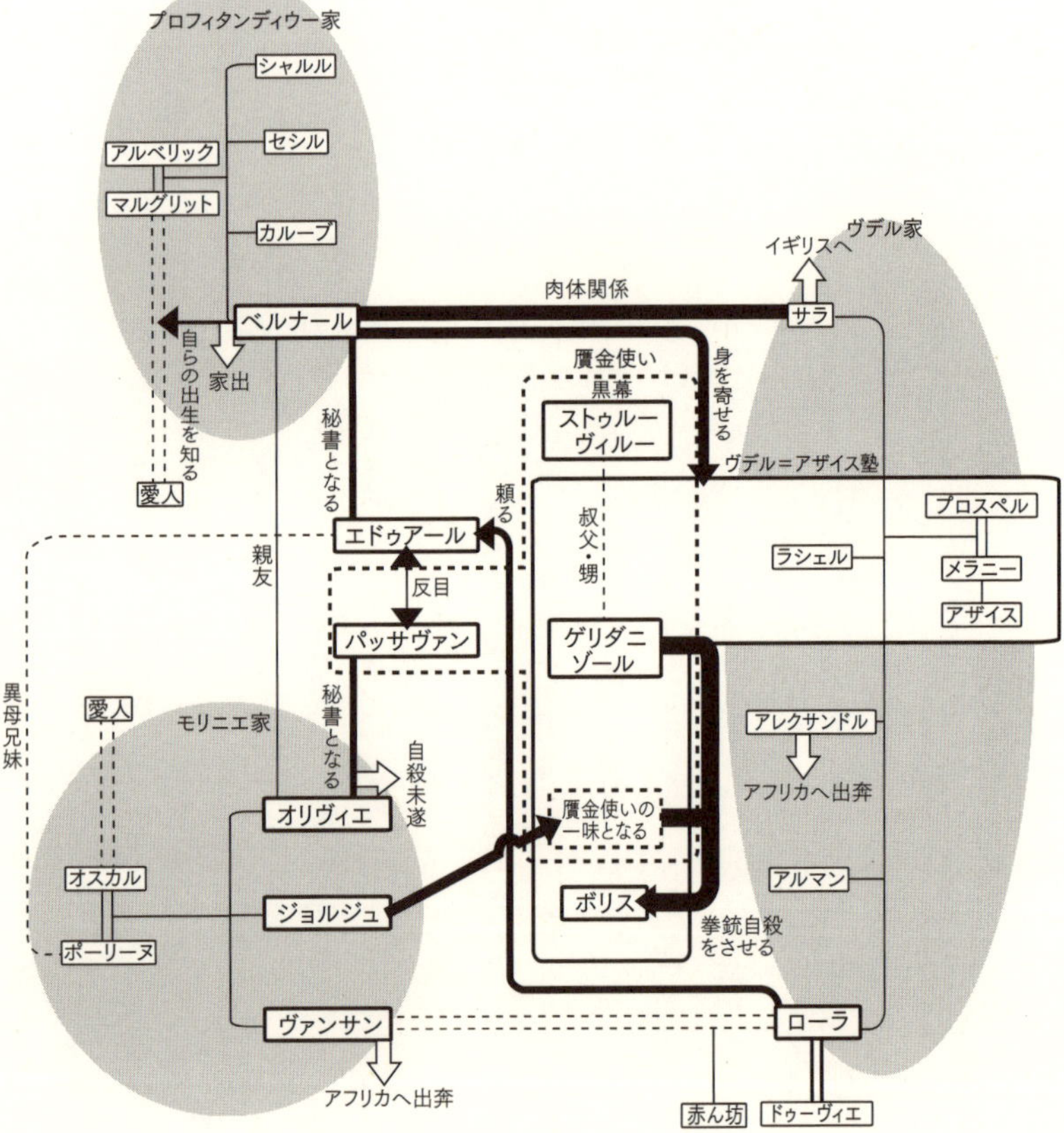

アンドレ・ジッド『贋金使い』 一九二六年

予審判事プロフィタンディウーの息子ベルナールは、自分が母と愛人の私生児であることを知って家出をする。親友オリヴィエのところに転がり込んだ彼は、オリヴィエの母の異母兄で『贋金使い』という小説の構想を練る作家エドゥアールの秘書となった。いっぽう、かつてエドゥアールに思いを寄せていたローラは、エドゥアールの友人でもあるドゥーヴィエの妻となりながら、オリヴィエの兄であるヴァンサンの子を身ごもっていることに悩んでいた。エドゥアールはベルナールとローラをスイスへ連れて行く。伯父を尊敬していたもののベルナールに先を越されて嫉妬にかられたオリヴィエは、兄ヴァンサンの友人で、エドゥアールが「贋の作家」と呼んで非難する作家パッサヴァンの秘書となってしまう。パリに戻ったベルナールは、ローラの実家であるヴデル家に身を寄せ、一家が営む私塾（ヴデル＝アザイス塾）に通う少年、ボリスの面倒を見るようになる。この塾にはオリヴィエの弟であるジョルジュも通いはじめるが、彼は不良少年ゲリダニゾールに感化されて贋金使いの一味となってしまう。

パッサヴァンの催した会で乱闘騒ぎを起こしたオリヴィエは自殺を図るが未遂に終わる。ローラを捨てたヴァンサンはアフリカへ出奔する。ジョルジュはエドゥアールの忠告もあってグループから身を引くが、ゲリダニゾールの指図で度胸試しとして空銃をボリスに渡す。しかし、ボリスがこめかみに銃口をあて引き金を引いたその銃には、ゲリダニゾールによってひそかに実弾が込められていたのである。これを機にヴデル＝アザイス塾は解散する。ローラの妹であるサラと関係したことを咎められていたベルナールも、大学入学資格試験《バカロレア》に合格し父のもとへと戻るのだった。

種の「貨幣小説」の先駆的作品として再評価され、最近の「ポストモダン論」でしばしば取り上げられてきたものです。この作品では、イメージ第三群の内部秩序の変容ということが、主題に取り上げられています。金本位制度が機能していた時代には、金銀が通貨体制を支える擬-中心となっていました。ところが二十世紀に入ってそれが崩れて、擬-中心すら機能していない信用通貨制度に変わってきました。

そのとき、同型の現象が家族制度の内部にも発生しています。それまでは父権が家族に秩序をつくりだす擬-中心として、威厳をもって存在していたのに、その父権的秩序そのものが通貨制度におこったのと同じような過程をたどって、解体していったのでした。じっさい私たちが生きている社会のことを考えてみればすぐわかるように、父権的秩序の解体はまだ続いています。その意味でジッドの小説は、今日の事態をはっきりと見抜いていたと言えるでしょう。

しかし、ジッドの『贋金使い』とトルストイの『にせ利札』の間には、なにか大きな深淵が口を開いているように感じられて、仕方がありません。それをたんに、二十世紀の進んだ資本主義国であるフランスで書かれた先駆的な現代小説と、十九世紀の遅れたロシアの文豪が書いた時代遅れの小説との違いということに、解消してしまうことはできません。問題はそれぞれの文学が扱っている、イメージ作用の「深度」に関わっているように思われます。

ジッドの作品を「貨幣小説」として読むことが許されるとしますと、そこでは家族内部で進行していく崩壊の過程と金本位制の「退位」とが、パラレルに扱われている様子が見えてきます。これはこの講義で私たちが採用してきた表現を使えば、イメージ第三群の内部でおこる現象に限定されています。ところが、トルストイは贋金使用の問題を、イメージ第三群の中にとどめておくことをしていません。贋金の使用に端を発した転落劇をとおして、それに関わった人々はロシア皇帝も含めて、イメージ第三群の権能のおよぶ領域を超えて、「有」と「無」が転換しあっているイメージ第二群へ踏み込んでいき（これを進んだ経済社会では「転落」と呼ぶのでしょう）、さらにはそこからもっと深い神の息吹に直接触れようとするイメージ第一群の作用にまで、すすんで「転落」していってしまおうとしているのです。

ジッドの小説も「悪」を主題としています。トルストイの作品でも「悪」が扱われています。しかしその二つの「悪」の間にある差異は、とても大きいと感じます。ジッドの作品では父権の崩壊とともに家族の内部に発生した「悪」を、（ほかにいい言い方がないのでこんなことばを使うのですが）「浄化」していく働きは、とても弱いように思えます。それにたいしてこのロシア小説では、贋金を使って「悪人」に転落した者だからこそ、神に近づくことができるのだという「悪人正機《しょうき》」説が、堂々と説かれているのです。

トルストイはここでたぶん、貨幣の幻想をめぐるイメージ第三群の作用に守られている普通の生活者には、直接に神を体験することなどはできない、と言いたいのでしょう。「悪人」になって富の共同体を出てしまった者だからこそ、神に近づいていくことができる――これを私たちの言い方で表現しなおしてみると、近代社会を支配するイメージ第三群の強力な作用を抜け出して、イメージ第二群と第一群の作用を取り戻すことができた者だけが、自分を「浄化」することができる、ということになります。トルストイ晩年のラジカルな「悪人正機」の思想は、二十一世紀のいまだからこそ、私たちの心に深く響いてきます。

7　金はどこだ＝神はどこだ

映画監督であったロベール・ブレッソンという人は、本人自身が敬虔《けいけん》なカトリックの信者でしたが、制度化された宗教としてのカトリック・キリスト教には、満たされないものを感じていたために、映画をとおしてのさまざまな思想探究をおこなったのでした。ブレッソンは宗教にそなわった映画的構造をいわば文字通りの意味で理解して、映画にイメージ第三群を超えたものを出現させようとした芸術家でした。言いかえれば彼は、神を幻想ではなく、ひとつのリアルとして映画の中に出現させようとしたのです。

『ラルジャン』をごらんになってお気づきのように、ブレッソンの映画ではプロの俳優がほとんど使われていません。登場人物はほぼ全員が素人です。素人は演技のプロではありませんから、俳優の演技の原材料となるような自然な行為を、自然に演じることができるだけです。そのせいで、映像そのものが、まるでまだ磨かれていない宝石の原石のような、ザラザラした感触を持っているように感じられます。俳優の演技によって、上手に磨き上げられてしまうと、こういうザラザラした感触は失われてしまいがちです。しかしブレッソンという人は、神そのものをこうしたザラザラしたリアルな感触としてとらえようとして、好んで素人を使って映画を撮りました。

またそこでは、映画音楽の使用が最小限度に控えられています。映画音楽はイメージの集積体である映画に、強力な連続感をあたえる効果を発揮します。ブレッソンはそのような音楽の使用を、自分に厳しく禁じてきました。イメージの集積体の表面をつるつるに磨いて、なめらかな連続の感触をあたえようとする音楽の効果が抑えられているおかげで、ここでも映画は原石のようなザラザラした感触を生みだすのです。

『ラルジャン』はトルストイの未完の原作をもとに、とりとめなく拡散していった原作の複雑な筋立てを力強い一本のラインに整理し、舞台を現代のフランスに移して、映画化したものです。主題は贋金の使用という経済犯罪のように見えますが、ほんとうの主題は貨幣ばかりか映画もまたその一員である、イメージ第三群の運動法則にほかなりません。またそれをとおして、キリスト教の神をイメージ第三群の作用から解放しようとしているように思われます。ここでは、宗教と映画と貨幣を貫き支配しているものが、問題となっています。

子供から贋金をつかまされ、知らずにそれを使用してしまったことから、人生の転落がはじまった主人公は、殺人を重ねたあげくに、一人の老婦人と出会います。この老婦人は心のねじまがった父親の世話をしながら、つましい暮らしを送っているのですが、なぜか凶悪犯として追われている主人公に、なにくれとなく親切をしめしてかくまってくれるのです。しかし悪への衝動はとどめようがなく、彼女の父親を殺したはずみで、刃を光らせながら老婦人の部屋にまで押し入ったのです。

映画では少し違った演出法がとられていましたが、トルストイの原作ではこのとき老婦人は手に斧をかざした男を見ても、怖がる様子も見せずに、「自分をかわいそうに思わなくちゃいけないよ。お前さんは他人の魂じゃない、自分の魂をむざむざ滅ぼしているんだよ」と問いかけます。ところが男は「金はどこだ?」と怒鳴りながら、自分にあれほど親切だった老婦人を殺してしまうのです。しかし殺される直前に老婦人の語った一言は、彼の心に深く突き刺さり、回心を促して、映画では男が警察に自首していくシーンが唐突に描かれ、私たちを突き放したまま、終わるのです。

さてこの自首はいったい何を意味しているのでしょうか。男の心に神があらわれたことをしめしています。その神は、法律や世間の習いを犯さずにいれば安穏な市民生活を送ることができますよ、と約束してくれるような神ではありません。それは、贋金の使用をきっかけにして共同体から追放され、名誉も妻も家族も仕事もなにもかも失ったあげくに、殺人を重ねてきた「悪人」の心にだけ、ありありと出現してくる神にほかなりません。この男は連鎖反応のように殺人を重ねてきたのですが、その転落の「どん底」で、自分に殺される直前に老婦人が語った一言をきっかけにして、悪の連鎖反応を止める力が自分のうちにわきあがってくるのを知りました。じつはそれが神なのです。

人々が安全安心な市民生活をおくっている限りは、おそらくこういう神に出会うことはないでしょう。そういう人は善人なのですから、文化的な共同体を追放され、「野生状態」に落とされていく体験などをしなくてもすむからです。しかし、悪人はそうはいきません。否応なく自分に向かって吹きつけてくる、非情な風を耐えなければならないからです。しかし悪人は善人とは違って、自分が引きずり込まれたどん底で、悪の連鎖反応を止めるものの存在を知るという、別の可能性を与えられているとも言えるのです。悪業をそのどん底で止める力、それは絶対的な善にほかならないでしょうが、その力の実在を悪人であればこそ、ありありと知ることがあるのです。皮肉なことに、善人たちはこのような絶対的な善には、めったなことでは触れることができません。ですから親鸞上人の語ったという「善人なおもて往生をとぐ、いわんや悪人をや」という言葉は、ここでもまったくの真理なのです。

男は老婦人を殺害する直前に、「金はどこだ! Où est l'argent?」と怒鳴りました。しかし私には、そのとき男が「神はどこだ! Où est Dieu?」と叫んでいるように、感じられてしかたありませんでしたが、みなさんはどうだったでしょう。これは十字架上のイエスが、脇で自分と同じように十字架刑に処せられている犯罪人から投げかけられた問いでもあります。「神はどこだ!」。それこそ主人公の求めていた問いにほかならないでしょう。平凡で正直な暮らしをしていた男に、ありとあらゆる不幸が襲いかかり、「野生状態」に突き落とされた男は、悪の連鎖に身をゆだねていきました。こんな世界にいったい神などはあるのだろうか。それがあることを、老婦人の一言をきっかけに、男は知ったのです。男は悪の行為の連鎖を止める絶対的な善の力に、そのときじっさいに触れ、それを知ったからです。

この映画の場合のように、映画がイメージ第三群の強力な力圏を抜け出して、その下に隠されてしまっていたイメージ第二群や第一群の作用に、自分を開いていくということが、じっさいに起こるのです。そのとき映画は、自分が宗教と同じような探究をしていることに気づくでしょう。私たちがこの講義でしめそうとしているように、宗教そのものが映画的構造を潜在させていて、その気になれば映画には、じっさいの宗教にはもう見いだせなくなってしまった宗教的探究を深めていくことだってできるかも知れないのですから、こういう事態が映画に起こるのも、けっして不思議ではないのでしょう。

真実の宗教映画とは何か、と問われたら、私はまっさきにブレッソンの作品とデンマークの映画作家ドライヤーの作品をあげることでしょう。もちろんプロテスタントのドライヤーとカトリックのブレッソンの間には微妙なすれ違いも存在してはいますが、この二人のつくった作品には、映画そのものが宗教でもあるという、すばらしい体験が満ちあふれています。二人の映画はしばしばイメージ第三群の作用を突き抜けて、流動的知性の運動そのものに触れていきます。だから、彼らのつくった映画はそれ自体が宗教的なのですし、そこには現実の宗教に失われてしまった真摯《しんし》な宗教性がみなぎっています。

映画にはこのように、お金＝神を消費したり、お金＝神を生むだけではなく、お金＝神を浄化して、それがかつて人類の中に真新しい「概念」として生まれたばかりの、原初の状態に連れ戻してくれる力が潜んでいます。しかしそれもこれも、映画が宗教や貨幣と同じように、ホモサピエンスとしての私たちの心の構造に深く根ざしているところから起きている不思議なのだと言えるでしょう。

第四章

家畜化された世界で可能な交通

——クリス・ヌーナン『ベイブ』

1　ネズミと猫

「アニメーション」という言葉は、「イメージの構造とその運動」をとおして、人類の心の本質を探っている私たちにとって、とりわけ大きな意味を持っています。みなさんもご存じのようにこの言葉は、「アニマ anima」というラテン語がもとになっていますが、この「アニマ」はモノに宿ってそれに運動を起こさせる女性的な力という意味を持っています。この言葉はまたギリシャ語の「プネウマ（気息）」とも関係が深く、それをとおして「スピリトゥス（霊）」とつながっています。つまりアニメーションという言葉には、イメージに運動性を吹き込む目に見えない力の働きという意味が含まれているわけですから、それはたんに映画的な概念であるばかりではなく、この講義の中心的な主題である人類による超越性の理解にとっても、とても重要な意味をはらんでいることになります。

ウォルト・ディズニーによって漫画にアニマの霊気が吹き込まれ、一匹のネズミが音楽に合わせてスクリーン上でむくむくと動き出したとき、アニメーション映画の本格的な歴史がはじまったと言えます。このときディズニーはひとつの空間に新しい生命を吹き込んだと言えます。その空間はずいぶん古くから知られていたものですが、動的な視覚イメージとして現実のものとなったのはまだごく最近のことでした。その空間は「媒介空間」とも「中間空間」とも呼ぶことのできるもので、神話の思考はずいぶん古くからこの空間の効用を知りぬいていて、それを駆使して矛盾を調停する神話論理のめざましい働きを実現してきましたが、それが一つの空間構造として目に見えるかたちで取り出されたのは、アニメーションの発達によるところが、大きいのです。

そのとき運動の霊気を吹き込まれたイメージの動物がネズミであったということには、深い意味がこめられています。アニメーションは動かないイメージにアニマを吹き込んで動きださせる技術ですが、思考にとってはそれは死の領域に属していたものを、生の世界に運び込んできて、そこで活動をおこさせることを意味しています。そのために、アニメーションは生と死を媒介する中間的な空間を、じっさいにつくりだしているように感じられるのです。ところで世界中の神話や民話では、ネズミこそ生者の世界と死者の世界の間を、行ったり来たりすることのできる動物だと考えられてきました。そうすると、アニメーションが創造する空間構造と民俗動物分類学上のネズミの位置との間には、なにかの共通性があるのではないかと考えてみたくなります。アニマを吹き込まれた漫画のネズミはそれゆえ、アニメーション映画が生みだす空間の構造そのものを象徴していることになるわけで、ここからミッキーマウスのもつ神話性の秘密の一端が、かいま見えてきます。

生と死の媒介者としてのネズミという神話素は、ミッキーマウスの初期作品でははっきり表面にあらわれていますが、ディズニーはしだいにそのことを背後に隠蔽してしまうようになります。初期のミッキーと、ミッキーマウス・クラブの優等生的リーダーとして振る舞う中・後期のミッキーとを比較してみますと、そのことがよくわかります。ミッキーマウスは生死が転換しあう媒介空間を去って、成功した生者の価値観の支配する領域に完全に移り住み、そこで犬のプルートを飼ったり、やかましいアヒルとゴルフを楽しんだりするようになります。そのときおそらくは、ディズニーの創造するアニメーション空間そのものにも、重大な変質がおこっていたはずですが、今日はそのことには触れないでおきましょう。

＊

媒介空間の住人であるネズミとアニメーション映画とがしめす深い内面的関係を探るには、ネズミが主人公になる別の作品を取り上げて分析してみるのがよいでしょう。みなさんもよくご存じの『トムとジェリー』（ハナ・バーベラ、MGM）のことを、私は考えています。ハナ・バーベラの作品はこの『トムとジェリー』や『チキチキマシン』に典型的にあらわれているように、基本的な対立構造をわずかずつ変化させながら執拗に反復するミニマリズムに特徴があります。そのボレロ的構造のために、作品をつくりあげている神話的構造が、最後まで変質しないのです。

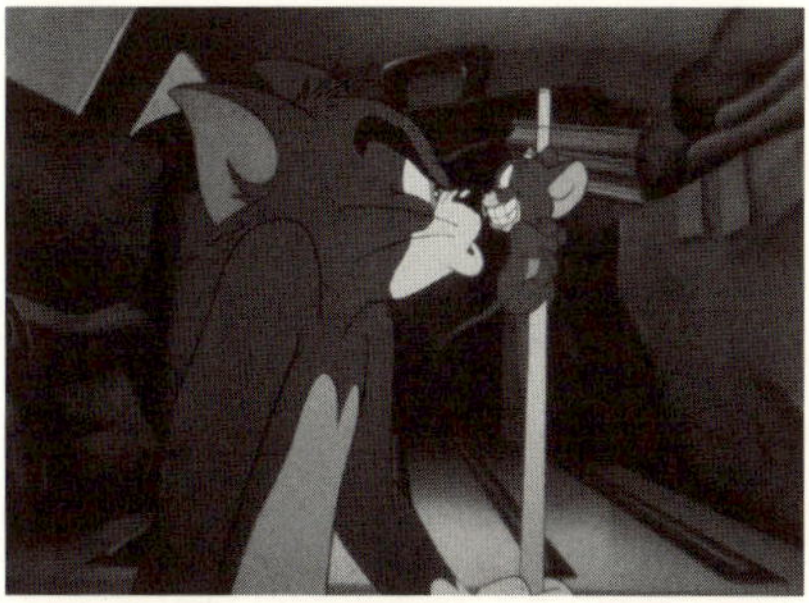
『トムとジェリー』©APOLLO

『トムとジェリー』での基本的な対立は、言うまでもなくネズミのジェリーと飼い猫のトムのくり返す、いがみあいの関係です。二匹の間には友愛の関係さえ成り立っていて、「ネズミ＋猫」が形成する中間的な空間そのものが、この作品の主題となっています。二匹の動物の友愛あふれる敵対関係の展開する場所は、家の中で一種の境界領域をかたちづくっています。壁の隙間に小さな穴があって、そこがネズミの家への入り口になっています。猫とネズミの追いかけっこは、この穴を中心に繰り広げられます。

　この穴はさまざまな意味領域を分け、そしてつなぐ役目をしています。穴のこちら側、猫のトムが暮らしているのは人間の世界です。トムはそこで人間に従属する「家畜」の生き方を続けていますが、小さな穴から出入りしているしゃくにさわるネズミを相手にしたときだけは、狩猟本能をむき出しにして追いかけ始めます。もともと猫はネズミに対するこの狩猟本能を有用と認められて家畜となった動物ですから、豚や羊や牛などと違って、人間の世界と野生動物の世界との中間にあるような生き方をしています。

　これに対するジェリーにも、よく似た中間性が備わっています。ネズミには家畜として人間の世界の一員となるような生き方は、ふさわしくありません。あくまでも野生動物としての矜持を保とうとしています。しかしネズミは野生動物と違って、人間の生活圏の周辺にあって、人間の食物をかすめ取って生きているパラサイト動物です。しかしそれでいて人間を自分の飼い主として認めません。飼い猫トムはネズミを追いかけるときだけはときに野生動物として振る舞うこともある家畜のジャンルに属し、ネズミのジェリーは完全な野生動物とは言えないまでも、家畜化された動物の生き方を否定する半＝野生動物をあらわしているわけです。

つまり、トムとジェリーはともに媒介的、中間的な動物として、貨幣の裏表をあらわすような存在であり、その二匹が友愛的敵対にもとづくいがみあいや追いかけっこを繰り広げることで、二匹が生息する中間的空間そのものが、生き生きと飛び跳ねているように感じられてきます。トムとジェリーはただただひとえにこの特殊な空間を活性化するために呼び出された、中間的動物にほかなりません。ですからこのアニメーション映画の真実の主人公は、「気息を吹き込まれたイメージ＝アニメ」のかたちづくる空間そのもの、ということになります。その動的なイメージ空間になぜ、ネズミや猫のような動物が引き寄せられてくるのか、その理由はもう皆さんにもあきらかでしょう。

ここから興味深い事実が浮上してきます。ネズミの動物分類学上の位置と深く結びついた空間構造をもつアニメーション映画の背後には、動物の家畜化がもたらした生活空間の組織化という問題が潜んでいることになりますが、動物の家畜化こそ現代の考古学が「新石器革命」と呼び習わしてきた出来事の本質に関わっています。「新石器革命」をとおして、今日私たちがよく知っている（そしていまもその中を生きている）生活空間の基礎が打ち立てられ、生と死、文明と野蛮、社会と自然、家畜化された世界と野生の世界などの思考様式が組織化され、そこから現代の思考も生まれてきたのでした。

魅力的な動物たちが主人公となるアニメーション映画は、この「新石器革命」の本質に触れているのです。そのとき人類の思考に何が起こり、旧石器の人々には見えていた何が見えなくなり、そのかわりに新しく何が見えるようになったのか。映画の中にそのときの記憶が保存されていると思うと驚異を感じます。この集中講義最終日の今日は、家畜化された世界における動物と人のコミュニケーションの可能性をテーマとするすばらしい動物映画『ベイブ』を見ながら、今日の世界にも大きな意味を持ち続けている「新石器革命」の意味を、考えていってみることにしたいと思います。

2　動物と神々の「新石器革命」

「新石器革命」は、マルクス主義の考古学者ゴードン・チャイルドによって一九三〇年代に提唱された考え方で、その頃あらわれた多くのマルクス主義的歴史学の理論と同じように、概念装置としての強力な整合性と体系性のおかげで、一世を風靡《ふうび》し、その後の考古学者の思考にも大きな影響をあたえてきました。たぶん今日でも、この考え方はすたれてはいないように感じられます。

マルクス主義は人類のあらゆる種類の営為を、「下部構造」と「上部構造」という二つの側面からとらえようとしました。人間の暮らしのインフラは「生きることと食べること」にありますから、それを可能にしている活動が下部構造にあたります。具体的には経済活動がこれにあたります。上部構造は幻想や思考の活動のことにほかなりません。幻想を抱くにしてもものを考えるにしても、人間はまず食べて生きなければなりませんから、宗教や芸術や科学のような上部構造は、最終的には経済的な要因によって決められてしまう、というのがマルクス主義の考えで、ゴードン・チャイルドはこの考え方を、考古学に適用して、大変に影響力のある理論を編み出したのでした。

野生動物の家畜化と灌漑《かんがい》による農業の開始によって、それまでの狩猟採集経済にもとづく下部構造がドラスティックに変化し、それが決定要因となって、宗教や芸術や社会組織のような上部構造が本質的な変化をおこしはじめた——そこから「新石器革命」の爆発的な展開がはじまったのである、というのがチャイルドの考えたシナリオでした。

しかし私たちは、経済のような下部構造がすべてを最終的に決定していく要因であるとは考えません。宗教や芸術のような上部構造が人類の心の中で活動をおこなうものであることは当然ですが、経済や技術のような下部構造もまた、人類の心をその活動の場所としています。そして私たちの対称性人類学の試みがしめしているように、経済を動かしている心の活動と、芸術や宗教のかたちであらわれる心の活動の間には、構造としての「同型性」をはっきり確認することができます。上部構造と下部構造は同じ心のトポロジーから生まれ出てくるものであるからこそ、おたがいの間につながりがあるのであって、どちらか一方が他方を決定するというような関係にはありません。下部構造の変化が上部構造に変化を及ぼすことはもちろん、宗教のような上部構造におこる変化が、経済や社会のあり方を変えることもあります。

およそ「革命」などと呼ばれる変化が起きるのは、心の構造に本質的な組織変化が起こり、それによってドラスティックな変化が上部構造的な分野と下部構造的な分野に、まったく同時に、違ったかたちであらわれてくる場合に限られます。そしてそのとき、下部構造の変化と上部構造の変化は、まったく同時に起こるのです。そのような変化が、数千年前の中近東に起こり、またたくまに周辺の地域にその影響が広がっていったことは事実ですが、そのとき人類の心にどのような本質的変化があらわれたかについては、ジュリアン・ジェインズの先駆的研究(『神々の沈黙』柴田裕之訳、紀伊國屋書店、二〇〇五年)や最近のルイス・ウィリアムズらの研究(David Lewis-Williams & David Pearce, *Inside the Neolithic Mind*, Thames & Hudson, 2005)などのほかには、十分な取り組みはまだあらわれておりません。そのような試みに、私は挑戦しようと思うのです。ここではそのような試みの、簡単な見取り図のようなものをしめしてみることにしましょう。

＊

後期旧石器のホモサピエンスたちが深い洞窟の中でおこなっていた宗教的・芸術的な表現活動の特徴は、その「垂直横断性」にありました。彼らは洞窟の壁面を二次元のキャンバスとして、そこにバイソンやヘラジカなどの動物の姿を、驚くほど高い表現の技術をもって、具象的に描きました。現代の美術史家は、そこに絵画芸術の誕生の現場を見いだそうとしてきましたが、その考えは半分しか当たっていません。旧石器の人々は、現実の世界で常日頃彼らが目にしている動物の姿を描写しようなどとは、考えていなかったからです。彼らは壁面に動物の姿を描くことで、むしろ壁面を越えて垂直的に横断をとげて、現実の世界に渡ってくる「精霊」を、現実世界に出現させようとしていた、と考えられるからです。

深い洞窟の奥に潜っている間、旧石器の人々は自分たちが「大地の懐ないし子宮」の中にいるように感じていたはずです。そこは目に見えない精霊の住まう空間でした。人は死ぬとその子宮の中に戻っていき、新しい生命もまたその空間からやって来て、現世とあの世を分けている境界面を越えて、こちらの世界へ生まれ出てきます。自分たちの四方を取り囲む壁面から、そういう精霊の力がたえまなく滲《し》みだしている様子を、彼らは洞窟の中ではっきり感じ取っていたことでしょう。

その精霊的な力の動きそのものは、私たちが「イメージ第一群」と呼んでいる抽象的な運動痕跡として、旧石器の人々に認識され表現されていました。それは外界のなにかを描写しているのではなく、視神経が自分の内部でとらえている光の運動の痕跡を、直接的に描いたものですので、イメージと前イメージな運動との中間にあるものと考えることができるでしょうし、太古から「精霊」と呼ばれてきたものが、人類の心の本質をなす「流動的知性」に直接つながっているということまで、ここには示唆されています。

壁面を横断して、こちらの世界に渡ってやってくるこの精霊的な力を、「イメージ第二・第三群」のイメージが受け止めるのです。壁面を垂直的に横断してくる精霊的なものの力を、壁の表面で受け止めて、そこに飛散したエネルギーを動物の具体的なイメージに再統合するようにして、あのすばらしい壁画は描かれています。「絵画とは強度である」というセザンヌ的な思考が、もうすでにそこには十分な完成度をもって実現されています。岩壁の奥からこちらに向かって立ち上がる力と、それを平面で受け止めて描写的イメージに変身させる技術とがクロスする場所に、宗教でありまた芸術でもあるこれらの旧石器の表現が実現されています。

このように旧石器型のイメージ表現の特質を「垂直横断性」としてとらえてみますと、その特質はいわゆる「新石器革命」を通じて、どのような構造に変化していったのでしょうか。宗教や芸術は上部構造に属するものですが、その上部構造に起こった構造変化は、生業形態や経済や権力や社会組織の面にあらわれた下部構造の変化と、どのような点で「同型」とみなすことができるのでしょうか。こうした問題を探究する資料が、チャイルドの時代には決定的に不足していたのですが、幸運なことに現代の私たちには、それが与えられています。旧石器から新石器への過渡期に属する豊かな考古学的資料が、二十世紀の後半になって続々と発見されはじめたからです。

*

そのうちの代表的なものとして、トルコのアナトリア高原でみつかったチャタル・ヒュユクÇatal Hüyük遺跡での発見を取り上げて、「新石器革命」への胎動がどのようなかたちではじまったのかを探ってみることにしましょう。この遺跡は一九五〇年代にイギリスの考古学者ジェームス・メラートらによって発見されました。川のほとりの丘の頂上付近を掘ったところ、そこから七千年から八千年前の新石器時代に属する集落の、ほぼ完全な遺跡が見つかったのです。

チャタル・ヒュユクに住んでいた人たちは、狩猟と採集を中心とする生活形態を採っていましたが、その一方ではすでに牛の家畜化を開始し、小規模な灌漑施設をともなう初歩的な農業(麦の栽培)もおこなっていた様子です。あきらかにヨーロッパなどで発見されてきた旧石器の文化と、のちにパレスチナやメソポタミアなどで発達をとげることになる新石器の文化との中間段階にある文化をもった集落が、アナトリア高原ではいくつも見いだされてきました。考古学者によっては、旧石器と新石器の過渡期を中石器と呼ぶこともありますが、チャタル・ヒュユク遺跡を見ていると、その過渡期に人類の思考に何が起こったのかを、私たちにまざまざと伝えてくれているように思われます。

チャタル・ヒュユクの集落をつくる家々は、古代アメリカ先住民(プエブロ)の集落のように、たがいに隙間なく密集して建てられておりました。集落の中を走る道というものがなく、人々は屋上の開口部から梯子を降ろして、出入りしていました。屋上階が道路の役目も果たしていたわけです。とうぜん窓も通常の家のような場所には開けることができませんので、天井に、屋上に開いた明かり取りの天窓が開けられることになりました。ですから光は天窓からしか射し込んできませんので、部屋全体は昼間でも薄暗かったようです。しかし壁はしっかりした漆喰で塗り固められ、ベンチや炉や寝台のはめ込まれた部屋のインテリアは、大変にしゃれたものであったように感じられます。

チャタル・ヒュユク遺跡の祭祀室を再現した図 I

こうした家々の中に、どう考えても日常生活向きでない構造をしたものが、いくつも発見されました。そういう家の内部にさまざまなかたちをした動物の像が見いだされたのです。そこがなにかの宗教的な祭祀をおこなっていた部屋であることは、一目瞭然でした。とりわけ漆喰で塗り固められた壁面を飾る動物像に、考古学者たちは圧倒されました。ある部屋の壁面からは、いくつものみごとな角をもった雄牛の首がニョキニョキと生え出ていますし、漆喰の台座に雄牛の角を埋め込んでつくった置物が、累々と並べられている部屋もあります。あるいは壁に雄牛の全身を描いた像や、山羊の首なども飾りつけられています。手形を採ったハンドプリンティングで飾られた壁面もあります。また床には、二匹の豹をまるで飼い犬のようにしたがえた、じつに豊満な女性の姿の石像なども多数見つかりました。人間の女性の出産シーンとおぼしき像もありますが、この世に頭をあらわした新生児は、どうやら牛の子供のようでもあります。

そうした像を初めて見た考古学者たちは、誰しもがこの新石器初期の集落の祭祀室に描かれているイメージ群と、ラスコー洞窟などで発見されてきた旧石器ホモサピエンスの宗教芸術との、密接なつながりを感じずにはおれませんでした。特に目を引くのは、壁からにょっきりと突き出た雄牛や山羊の首の像です。祭祀が執り行われていたのは薄暗い部屋の中ですから、こうした像を目にしていた人々は、まるで壁の向こう側から雄牛や山羊の精霊が、こちら側にあらわれようとして、まず頭だけを突き出しているように感じていたのではないでしょうか。つまり、チャタル・ヒュユクの新石器型集落に発見された祭祀部屋の壁には、旧石器の洞窟壁面をおおっていた絵画群と同じように、こちら側に向かって垂直に立ち上がってくるような横断性の力の表現が、あふれかえっていたわけです。

チャタル・ヒュユク遺跡の祭祀室を再現した図II

そう思ってほかの像を見てみますと、そこにも横断してくる力という概念が、たくみに表現されているのに気がつきます。出産のシーンはそのことを端的に表現していますし、ハンドプリンティングは壁の向こう側から「吹き渡ってくる」風のような霊力を、壁面で受け止める人間の手の、じつに確かな存在感をあらわしています。祭祀のための部屋そのものが、外部から放射されてくる垂直性の力の表現になっているのです。

ここにはあきらかに、旧石器の洞窟祭祀との連続性を見いだすことができます。旧石器の洞窟でも、「イメージ第二群」と「イメージ第三群」に共通して、垂直的にこちらの世界に向かって横断してくる力の表現が中心になっています。それどころか、「表現」ということ自体が、横断性の力を平面で受け止めて視覚的な形に変えるという構造をもった行為そのものであり、動物壁画を描くことでその構造を実現してみせることだけに、意味があったようにさえ感じられます。そのとき人類の心にはじめて宗教と芸術というものが発生したという言い方が正しいとするならば、宗教と芸術は垂直的に横断してくる力を、表現や思考の平面で受け止める行為の別名である、と言うことができるように思えます。

その垂直的な横断性の主題が、チャタル・ヒュユクの初期新石器家屋に見いだされるのです。「新石器革命」はすでに始動しはじめていました。動物の家畜化や穀物の栽培が組織的におこなわれる時代の前夜にあります。しかし宗教的思考の領域では、旧石器との連続性を保った横断的越境の主題が、姿を変えて再現されています。ものごとの表面だけを見ていると、こと宗教・芸術の領域のような上部構造では、「新石器革命」はまだおきていない。革命的な変化は経済や生産の分野のような下部構造においてまず起こり、ついでその影響が上部構造に波及していった、というマルクス主義考古学の見解がここでは立証されているようにも見えます。

＊

ところが、表面にははっきりとはあらわれていない形で、「新石器革命」はここでも進行しているのです。それどころか、上部構造に起こっている変化はじつに深淵な意味をもっていて、下部構造の変化と「同型」であるばかりか、かえってむしろ両者の変化に共通するこの「革命」の本質をあらわしているように思われます。

旧石器の表現とこの新石器の表現のいちばん大きな違いは、人々が「精霊」と呼んでいた、現実世界に向かって垂直的に横断してくる力の性質にあらわれています。旧石器の洞窟に入って祭祀をおこなっていた旧石器の人々は、自分たちを取り囲む岩壁の向こう側から精霊の力が放射されているのを、じっさいに感じとっていたはずです。ところが新石器の祭祀室のまわりを取り囲んでいるのは民家で、壁の向こうには人間の住む世界しかありません。

それでもチャタル・ヒュユクの人々は、垂直性の力がこの世に横断的に出現してくるのでなければ、生命を増殖させる宗教祭祀が有効に働くとは考えていなかったので、なんとかこの力の横断の感覚を表現しようとしたのでしょう。そのために新石器の思考に移行しつつあった人々は、漆喰を盛り上げて牛や山羊の姿を立体で表現したのではないでしょうか。壁の向こうからなにかの力が立ち上がろうとしているという考えが、平面絵画ではなくそこにプラスされる奥行きの一次元であらわされています。

そのとき、「力の記号化」がおこっています。思考にとってはとらえることのできないものを実体化し、記号化することによって、表現の内部に繰り込む組織的な運動のはじまりを、ここに見ることができます。旧石器のホモサピエンスにとって、「表現」とは高次元で流動する力の横断的な流れが、現実世界をつくる平面に打ち当たって砕けるたびに、そこに痕跡や波紋が生ずる過程そのものを意味していました。その痕跡・波紋の生じた場所を具象的なイメージで埋める表現は、二次的な意味しかもっていません。ところが、新石器的な思考にとって、思考を越えた高次元な力の流動を、あたかもそこになにか物質的な実体があるかのように捉え、記号化してあらわすことのほうに、「表現」ということの意味が移行しはじめているのを、感じ取ることができます。

旧石器の人々は表現をとおして、横断的な高次元の力の存在を「検知」しようとしているだけです。ところがすでに「新石器革命」に突入していた人々は、センサーを降ろして存在を確かめるだけではおさまらないで、その力を記号につくりかえ、社会の内部に取り込んでしまおうとしています。ここには、野生動物の家畜化と「同型」のプロセスが始まっています。旧石器に始まる狩猟・採集社会では、森に棲む動物たちはもともと人間の社会の外部に生きている命だと考えられていましたから、人間は注意深く動物の生きる世界に近づき、「向こうの世界」から少数の動物を人間の側に「釣り上げてくる＝引き上げてくる」だけで十分だと、考えていました。

そこでは狩猟は一種の「検知」の作業でした。狩りがうまくいって獲物がとれたとき、旧石器的な狩猟者たちは、それを動物の世界を守る精霊からの贈り物だと考えていました。つまり獲物からとれる毛皮や肉は、動物世界の王の気持ちを表現する贈与の物質面にほかならないのであって、その物質面である贈り物をとおして、人々は精霊の存在や考えをいわば「検知」していたのだと言えるのではないでしょうか。つまり狩猟によって、野生動物たちも彼らの背後にいる精霊的な力の領域も、けっして社会の内部に取り込まれてしまうことはなかったのです。

*

動物の家畜化が開始されると、事情は一変します。もともと野生動物たちには独特の威厳や存在感がそなわっていたものです。それは野生動物たちの存在が、人間世界の外にある森やサバンナの奥に潜む力の源泉とつながりを持っていたからです。ところがそういう動物たちが囲いや小屋の中に囲い込まれて家畜にされていくと、動物たちは力の源泉とのつながりを失って、いつのまにか「野生の輝き」をなくしてしまいます。そうなると人間たちにとっても、動物がもたらす乳も肉も毛皮も、動物たちを包み込んでいる大きな存在からの贈与とは、もはや感じ取れなくなるでしょう。それまで動物は霊妙な世界につながりをもつ不思議な存在であったのに、いまでは人間にとって有用なモノ、対象、記号に変貌していきます。

動物の家畜化と同時に生まれるこのような思考（それを「家畜化思考」と呼ぶことにしましょう）は、チャタル・ヒュユクのような新石器型住居の中につくられた祭祀空間の構造と、「同型」をしめしています。動物が家畜化されモノになっていく過程と、横断性を備えた力の運動が三次元に盛り上がっていく造形につくりかえられていく過程では、同じ型の思考が働いているからです。この結果、野生動物や霊力のように、それまでまったく扱いにくかった領域のものまでが、人間のコントロール下に置かれるようになります。「新石器型」の神々はこうして立体形の像として描かれることによって、人間にとってますます強い力を発揮するようになったのですが、そのとき繊細で小さな精霊や神々が社会の片隅に追いやられて、みすぼらしい妖怪に変貌していくのと並行して、野生動物と家畜の分離が進行して、ますます野生動物の生活環境は悪化していったのでした。野生植物の栽培化にあたっても、よく似たプロセスが進行していきました。

宗教思考の構造、野生動物の家畜化、植物の栽培化などにあらわれている思考の型は、ほとんど「同型」です。ここからは、マルクス主義考古学のように下部構造が上部構造を決定する、という結論を引き出すことは難しいでしょう。ここに権力と都市設計の問題を含めると、さらにその感は強くなります。いま私たちが慣れ親しんでいる「権力」の考えは、超越的な力を室内に持ち込もうとしている「新石器型」の宗教と、まったく同じ考え方をしめしています。旧石器のホモサピエンスに権力という考えはなかった、と考える十分な根拠があります。彼らは力の源泉のありかを、人間の世界の外部に考えていたからです。しかし「新石器型」思考は、その力の源泉を人間のつくる社会の内部に持ち込もうとしました。力を実体化して、記号として社会の内部に組み込んだわけですから、そこにはチャタル・ヒュユクの祭祀室のつくりかたと、まったく同じ型の思考が働いていることがわかります。

どうやら「新石器革命」の正体は、人類の心におこった構造的な組織変化にひそんでいるようです。後期旧石器時代に人類の脳におこった革命的なニューロン組織の組み替えから、私たちの心の基本的な構造は決定されました。このあたりのことは「カイエ・ソバージュ」シリーズに詳しく展開しておきましたから、ここではくり返しませんが、ニューロン組織中を走る流動的知性の出現によって、今日まで変わることのない「人類の心」というものが形作られたわけですから、じつはこの出来事をこそ一回かぎりのほんものの「革命」と呼ぶべきで、新石器型社会の形成を促したさらなる「変化」のことは、むしろ二次的な組織変更と呼ぶべきであろう、と私は考えます。

*

この組織換えにとって、私たちが「イメージ第三群」と呼んでいるイメージの構造原理が、とても大きな役割を果たしたのではないかと推測されます。ここでもう一度、イメージ各群の特徴をまとめてみましょう。

①イメージ第一群

流動的知性の運動に直接的に触れながら、思考とイメージの基層的な運動を突き動かしている。ホモサピエンスの思考はアナロジー(喩、類化性能)の発達した能力によって特徴づけられるが、異なる認知領域を横断していく流動的知性があらわれることによって、ほかの人類にはなかったこのような能力が生まれた、と考えることができる。人類の脳組織におこったほんものの「革命」の本質を記憶・保存しているのが、この唯物論的なイメージ群の働きである。

②イメージ第二群

視神経からもたらされる情報をもとにしてイメージを構成する脳の局所領野の働きと、「イメージ第一群」の運動とが重ね合わされるところに、この群のイメージが形成される。意味の生成ということがおこるのは、主にこの群のイメージを仲立ちにしている。具象的世界につながりをもつ視覚的イメージの下層には、意味作用をもたない無意味な「イメージ第一群」の力動がたえまなく打ち寄せているために、この群のイメージは無から有への生成として、あるいは有の無への融け込みとして考えられるような生起力をそなえることになる。イメージ自体がインターフェイス（境界面）としてのなり立ちをしているために、横断性や越境性をもつことになる。

③イメージ第三群

「イメージ第二群」としてあらわれる境界面そのものが、「イメージ第一群」との接触を薄くして、有の意味領域の側にくり込まれるようになるとき、想像的・幻想的なこの群のイメージが強力につくりだされてくる。それまで視覚的イメージの安定性をおびやかしていた流動的無の力は、ここでは「無」の記号につくりかえられて、表現可能なものに変貌する。宗教の言葉で言えば、「神」や「精霊」が記号化され、実体性を与えられるようになる。この群のイメージを構成する原理と都市空間の構成との間には、本質的なつながりがある。ものごとは生起や消滅ではなく、メタモルフォーシスしていく有の連なりとして思考されるようになる。

お気づきのように、「新石器革命」を構成する重要な要素のすべてが、「イメージ第二群」から「イメージ第三群」への大規模な組織換えとして理解できます。ホモサピエンスとしての人類の心は、後期旧石器時代に起こった「ニューロン的革命」をとおして、すでに完全に出来上がっていましたが、内部の組織を組み替えることによって、いわゆる「新石器革命」が展開していったというのが、私たちの考えです。そこでは本質的に新しいことは起きていませんが、その中からは現代の私たちにもなじみ深い世界が生まれてくることになりました。「新石器革命」以前の人類は、いわば限界のない無の海に有の小島が浮かんでいるような構造として、自分たちの生きている世界を思考していましたが、これ以後の新石器的世界では無の海そのものを「無」という記号概念にくり込んでしまうことによって、無と有の全体がもうひとつ大きな記号的「有」に包み込まれているというつくりをした、とても安定した世界が考えられるようになります。

このような心の構成の組織換えが確実に進行していないと、おそらくは野生動物の家畜化や栽培植物による農業の開始なども、あれほど組織的な形では起こりえなかったのではないかと想像されます。しかし、それは人類の心の基本構造を変えてしまうほどの、根本的な「革命」ではなかったのではないでしょうか。なぜならば、道具類の発達や社会構造の複雑化という点から見れば、あきらかに新石器的段階と呼んでいい社会が、農業を受け入れて大地の耕作を始めるのを拒否し続けたり、自分たちの中から権力者を発生させて、ついには社会の上に立つ国家なるものをつくりだそうとする誘惑に背を向けてきたのも、歴史的な事実だからです。

チャイルドのいわゆる「新石器革命」は、パレスチナとアナトリアで準備され、メソポタミアで本格的に稼働し始めた大きなプロジェクトではありましたが、あらゆる社会の人々がそこに人類の向かうべき唯一の正しい方向を認めたわけではないのだと思います。大きな眼差しをもって人類の歴史を眺めてみますと、グローバル化とはそのときに始まった「新石器化プロジェクト」の展開の、最終段階を意味しています。そのような世界の矛盾の最先端部分で生きている私たちだからこそ、「新石器革命」なるものの帰結の中で生きながらも、それを相対化できる視点を持つ必要があるのだと考えます。

私たちがこの講義で、映画を主題のもうひとつの中心にすえている理由もそこにあります。なぜなら、映画芸術の歴史を詳しく見てみると、そこに「新石器型」思考の限界を突き破って、人類の心の原初的な基体を浮かび上がらせていこうとする大胆な冒険が、幾度となく試みられてきたことを知ることができるからです。映画は洞窟的芸術です。そのことの意味を、映画はいまも忘れてはいないように感じられます。

3　エイゼンシュテインの野生の芸術

旧石器のホモサピエンスは、洞窟の奥深くに入り込むことによって、自分たちの脳に起こった革命的飛躍とそれによって生みだされた自分たちの心の構造の本質を、イメージ群の運動をとおして見届けようとしました。それは複雑なトポロジーとして、彼らの前に立ち現れてきました。自分の心の本質を見届けようとするこの実践の中から、のちの芸術と宗教の原型が出現したのでした。

興味深いことに、生まれてからまだ百年そこその比較的新しい芸術である映画は、この旧石器的な洞窟性を、自分の本質的要素としています。洞窟の壁に描かれた絵画が、あらゆる描写芸術のもとになったというのはたしかなことですが、絵画を包み込んでいる洞窟構造の全体を再現しているのは、むしろ映画のほうです。スクリーンの向こう側から放射されてくる高次元の力を受けて（じっさいには客席の後方から映写はおこなわれているのですが）、スクリーン平面の上に飛び散った光の中からイメージ群が出現し、美しい運動をくりひろげ、そして消え去っていきます。そこに出現する光のペイジェントは、私たちの心の構造の襞《ひだ》の奥深くにまで入り込み、しばしばその心の構造の中を動いていくイメージ群の運動と共鳴しあっているのです。

シュールレアリストの詩人アンドレ・ブルトンの言葉に「野を開く鍵」というすばらしい表現があります。ここで「野」と言っているのは、私たちの心の中で、合理的な論理性だとか功利的な計算高さだとかに冒されていない、生命の活動に直結した活動をおこなっている「無意識」のことを指しています。ブルトンはどんな時代になっても、人間の心の基体であるこの無意識は少しも変化しない、という確信を抱いていました。そういう無意識の「野」が、いつでも私たちの心の奥で、繊細霊妙な息づかいで生き続けているのです。そこで、芸術というのは私たちの心の奥に生きている「野」を開くための鍵をあたえてくれるものでなくてはならないと、彼は書いたのです。

私たちの「対称性人類学」がめざしているのも、みずから人文科学の形をとった「野を開く鍵」となることです。私たちは今日までの人文科学で主流であった考え方の「地」と「図」の配置を逆転させて、日常言語を成り立たせている文法構造に対しては詩的言語のもとになっているアナロジー能力のほうを、より根本的なものとして先に立て、アリストテレス型論理によって作動する思考に対しては対称性論理によって作業する無意識の思考を優先的に考え、交換に対してはその原型をなす贈与を基本に考えることによって見えてくる、新しい世界の姿というものを探ろうとしてきました。

この考え方は、精神分析学や認知考古学の成果を背景としています。フロイトの精神分析学の思想では、無意識の活動を「一次プロセス」と呼んで、言語構造に強く規制されている「二次プロセス」から区別して、人間理解にとって「一次プロセス」のもつ重要性を強調してきました。また認知考古学の探究は、ホモサピエンスの心をこの世に出現させた後期旧石器における爆発的な「ニューロン革命」の重要性を強調していますが、その過程で脳内を走り出した流動的知性なるものは、さきほどの「一次プロセス」とまったく同じ特徴を備えていることに、私たちは注目してきました。

私たちには、人類の心の中に生き続けている「野」がどんなふうに出来上がっているのかが、しだいにわかりはじめてきました。わかるだけではなく、こういう認識をもとにして、人間の世界をよりよい形につくりかえていくにはどういう実践が必要なのかも、はっきり見えはじめてきました。ですから、心の「野を開く鍵」となろうとする対称性人類学の試みにとって、旧石器の洞窟考古学の重要性は、強調してもしすぎるということがないのです。またそのことは同時に、洞窟的構造との深い関係を保ち続けている、映画と宗教への関心にもつながっていきます。映画の中には現実に「野を開く鍵」がちりばめられています。宗教についての見方を根本的に変えれば、そこにも広大な心の「野」が広がっているのが見えてきます。

*

映画の歴史の中で、そういうことに最初に気づいた人は、おそらく(かつての)ソヴィエト連邦の映画監督セルゲイ・エイゼンシュテインではないか、と思います。エイゼンシュテインは弱冠二十七歳のときに監督した『戦艦ポチョムキン』で、映画の本質を無意識の造形としてとらえる思想にみごとな表現をあたえて、映画の可能性を一気に押し開き、芸術として高めることに成功しました。エイゼンシュテインは自分の映画作りの方法を「モンタージュ」として理論化までしていますが、それを読むと、彼の

エイゼンシュタインの映画より『戦艦ポチョムキン』(左)、『古きものと新しきもの』(右)
(写真協力　(財)川喜多記念映画文化財団)

洞察の深さにびっくりします。エイゼンシュテインはまったく、映画を旧石器的・洞窟的な「野生の思考」の産物としてとらえているのです。

彼の著したたくさんの理論的著作の中から、今日は十数年ほど前にやっと日本語で読めるようになった「無関心な自然でなく」(『エイゼンシュテイン全集』第九巻、エイゼンシュテイン全集刊行委員会訳、キネマ旬報社、一九九三年)を取り上げてみることにしましょう。この論文は一九四五年に書かれて、彼の生前には出版されなかったものです。この論文が完成したとき、エイゼンシュテインは死の床にあって、プーシキンの詩について思索をめぐらせていました。その詩の中でプーシキンは、自然を人間の運命を無関心に見つめる傍観者として描きました。その詩の最後にはこう歌われています。

墓の入り口で
若い生命は戯れるがいい
心動かぬ自然は
永遠の美に輝いている

エイゼンシュテインはそこに歌われている、人間の心の外部にある「無関心な自然」に対置して、「無関心な自然でない」あるものを立てようとしました。それを彼はひと言で「人間的自然」と呼んでいますが、じっさいにはそれは私たちの心の中にあってたえまなく活動を続けている、「心の野」である無意識のことにほかなりません。ちょっと引用してみましょう。

なぜならば――ああ！――「無関心でない自然」は、何よりも私たち自身の内部に存在するからである。無関心でない自然は、何よりも、私たちの周囲の自然ではなく、私たち自身の自然であり、無関心ではなく、情熱的に、能動的に、創造的関心をもって世界改造に参加していく人間の自然であるからである。（前掲書一七八ページ）

一見するとエイゼンシュテインはここで、人間の心の内面で活動する無意識的自然のことを言っているようにも見えますが、よく読んでみるとそうではなくて、「関心をもって世界改造に参加していく人間の自然」と言っているように、心の外部にある「無関心な自然」に能動的、創造的に働きかけていく無意識のおこなうインターフェイス的作動のことを、語ろうとしているのがわかります。つまり、心の内部でもなく、また外部でもない、ちょうどその中間領域に開かれてくる創造的空間をさして、自然と言っているのです。

このような中間領域のことを、古代ペルシャの宗教思想家たちは神話語りとシャーマンの魂が飛翔する空間として特別な概念をあたえてきましたが、この概念はmundus imaginalis（ムンドゥス・イマジナリス）というラテン語に翻訳されて、ヨーロッパにも伝えられました。イスラム学者アンリ・コルバンは、この言葉を「創造的想像力imagination créatrice」と現代語訳していますが、それは外部の自然と内面的無意識のちょうど中間に開かれてくる、力動的な空間のことをさしています。

映画はまさにこの「ムンドゥス・イマジナリス」に展開する芸術です。映画は写真術の延長上にでてきたものですから、外界の自然を正確に写し取る技術だと言えます。しかしその外の自然を撮影したフィルムを編集するのは、心の内部に活動する無意識というもうひとつの自然であり、このふたつの自然の中間に開かれてくる「ムンドゥス・イマジナリス」の空間において、映画はまるで生き物のような活動をはじめます。その空間を動かしている「生命原理」は、心の内部空間である無意識とほぼ同じ原理で活動していますから、これからは「ムンドゥス・イマジナリス」を無意識と同じものとして語ることにしても、問題は起きないでしょう。

エイゼンシュテインは「人間の自然」である無意識は、情緒的・感覚的な本質をもっていて、映画はショットとして切り取られたこの情緒的・感覚的断片を、「モンタージュ」的に構成することによって、全体として視覚的音楽の流れをつくりだそうとするのである、とつぎのように語っています。

厳密にいうと、純粋に造形的見地からすれば、あらゆるショットの表面全体は、いかなるものであれ、独自の音調的あるいは色彩的「風景」である。しかしその理由は、ショットが描写している内容にはなく、モンタージュ断片群の連続的流れの内部で全体として知覚されるショットが担うべき情緒的感覚にある。（前掲書一七四ページ）

ショットは音調や色彩の独自性をもつ「風景」だと語られていますが、これはそういうショットが情緒的な本質をもっていることをあらわしています。じっさい旅行などに行って、どこかの風景を眺めるとき、私たちはその風景を内容によってではなく、情緒や感情をとおして眺めています。生活の気がかりとはあまり縁のない風景だからこそ、旅行に来て見る価値もあろうというもので、風景が与える情報としての価値よりも、心との中間領域にかたちづくられる「ムンドゥス・イマジナリス」の空間に心を遊ばせることが、観光の面白さです。ショットというのは、そういう中間的空間の断片だとエイゼンシュテインは言っているわけです。

中間的空間の断片とは、つまりは無意識の断片ということです。無意識は感情や情緒と一体になって、心の中で活動をおこなっていますから、そこから情報や内容だけを取り出すことはできません。それが無意識の特徴です。そういう無意識の断片を結びつける技法がモンタージュです。モンタージュでは各ショットを重ね合わせたり、圧縮したり、並置することによって、新しい意味を発生させようとします。この重ね合わせ、圧縮、並置といったアナロジーの技法は、詩の言語がつくられるときに多用されてきましたが、別の側面から見ると、無意識が夢や言い間違いを発生させるときに使っているやり方でもあります。つまりそれは「一次プロセス」の作業方法にほかならないのです。

＊

フロイトは心の作動を一次プロセスと二次プロセスが協同しておこなう、一種の「バイロジックbilogic」として考えていたようです。言語の文法構造に近い二次プロセスでは、心的エネルギーの分節・構造化がおこなわれて、エネルギーはそれから強い拘束を受けながら思考に参加していきます。ところがこれに対して一次プロセスでは、心的エネルギーはたがいに重ね合わされたり、圧縮されたり、離れたところから引っ張ってこられて隣同士の位置に並べられたりしながら、柔軟な流動体として心的装置の中を流れていくのだと考えられています。人間の心はこの二つの異なるメカニズムで作動する心的装置が、協同して作動をおこなうバイロジックでできていますが、夢見や芸術創造の場面では、このうちの一次プロセスが活発に作動します。そのために、詩の構造を調べてみると、通常の文法規則からの逸脱をたくさん見つけることができます。そういうときにはかならず一次プロセスが作動しています。

一次プロセスは言語の論理構造によって飼い慣らされてしまう（家畜化されてしまう）ということがありませんから、心的装置における野生の領野に属しています。エイゼンシュテインは「私たち自身の内部に存在する……人間の自然」という言葉で、このことを言いあらわそうとしていたのだと思います。心のこの部分は、エイゼンシュテイン的に言えばモンタージュの流儀で思考し、現実に働きかけて「ムンドゥス・イマジナリス」の中間領域を開くことによって、「無関心ではなく、情熱的に、能動的に、創造的関心をもって世界改造に参加していく」ものです。映画はそのようにして、心の内部に野生の野を開く可能性をひめた芸術であるはずだ、と彼は考えていました。

そしてここから映画と音楽の深遠な関係が浮かび上がってくるのです。エイゼンシュテインは背景となる風景を前にして、登場人物たちが物語を演じているような映画の画面に、いつも不快感をあらわしていました。たとえばウォルト・ディズニーの『バンビ』がそうでした。前景では子鹿のバンビをはじめとする動物たちが、すばらしくなめらかな動きでストーリーを進めていくのですが、その背景に描かれている森はまるでデクノボウのように死んでいる、とエイゼンシュテインは批判しています。アニメーションというからには、主人公たちと背景の自然はまるで一匹の生物のように、同じ空気を吸い、一体となって動き、飛び跳ねながら、緊密な一体感のある音楽を奏でるようでなければならない、と言うわけでしょう。

登場人物とそれを包み込んでいる風景は一つの生命体でなければならない、という信念がエイゼンシュテインにはありました。そのために風景がともすれば物語を語り出すための背景の書き割りのような位置に後退しがちな西欧絵画を批判して、彼は中国や日本の風景画の中に、モンタージュの理想を発見しようとしていました。そうした東洋の風景画では、たしかに人物だけが前面に浮かび上がるという描き方は好まれません。人物を包み込む背景はそれこそ「無関心な自然」ではなく、「ムンドゥス・イマジナリス」として、人物と一体になって一つの律動性、一つの生命運動を生きているようでなければなりません。人物がなにかの物語を進行させようとしている場合でも、その物語はいたるところで背景の中にとけ込んでしまって、人為だけが自然の中で自律するということがありません。エイゼンシュテインが理想とした東洋の風景画では、人物と風景がそれぞれの自己主張を捨てて、たがいに協同しあって、画面上で一つの音楽をつくり出しています。

人物と風景を一つに包み込むより大きな「風景」にアニマの気息が吹き込まれることによって、画面全体が一つの生命を得て運動している——映画はすべからくそのような「アニメ」でなければならない。そう考えていたエイゼンシュテインにとって、もっとも純粋な発達をとげた芸術形態は、ほかならぬ音楽でした。とりわけバッハの作品に最高のかたちで表現された「ポリフォニー（多声）」音楽こそが、映画のめざすべき理想だと考えられたのです。

ポリフォニー音楽はアフリカのムブティ（ピグミー）やサン（ブッシュマン）や台湾原住民などの間で発達をとげた、きわめて古い起源をもつ音楽の楽しみ方です。ことによると、その起源は旧石器の人類まで遡るもので、中央ヨーロッパの洞窟祭祀場で人々が声に出して奏でていた音楽とは、このポリフォニーだったかも知れません。ポリフォニーでは複数の声部がたがいにからみあったり、遅れてみせたり、先に進み出たり、逆進行したり、あるいはときどき歩調を合わせたりしながら、とても複雑な音響をつくりだします。どの声部も他の声部に従属するということがありません。異なる声部が自分の持ち場でそれぞれの特質を出し切りながら、全体で一つの歌う生命体をつくりだすのです。

＊

このような音楽思考を生みだしているのは、まちがいなく「対称性」の論理で作動している無意識の思考です。対称性で動く無意識は、全体と部分を分離しない思考を得意とします。どんな部分も全体の運動の中に自分をつなげていて、部分と部分の動きはそのまま全体の揺れ動きに反響していきます。また対称性の思考は、主体が環境から分離してしまうのを認めません。主体がかってに周囲を無視して自分の歌、自分の物語を歌い語り出すのを許しません。「一つの歌は全体のために、全体は一つの歌のために」。『戦艦ポチョムキン』で高々と掲げられたこの革命のためのスローガンは、そっくりそのまま対称性で作動する無意識の思考がしたがう倫理でもあり、またポリフォニー音楽の守るべき規則でもあります。

不思議なことに、西欧で最初に生まれたキリスト教音楽は、究極の対称性音楽とも言うべきこのポリフォニーでした。文化のほかの面では主客の非対称的な分離や自然からの人間の遊離を推し進めた西欧で、音楽だけは「野生の思考」の保存場所となっていたのです。フーガ、カノン、対位法などさまざまなポリフォニー技法が開発されるなかで、ついにバッハが音楽における野生の思考の表現の頂点を極めました。バッハの音楽はきわめて数学的に緻密に構成されていますが、その構造には細部にいたるまで、ポリフォニーの原理がしみ通っています。そのためにバッハの音楽を分析した現代の科学者は、それが「メビウスの帯」のような構造をしたトポロジーを使わないと理解できないことを、証明してみせたほどです（ホフスタッター『ゲーデル、エッシャー、バッハ』）。「カイエ・ソバージュ」をお読みになった方は、この「メビウスの帯」というトポロジーが対称性思考のまたとないモデルでもあるということを、思い出されていたかも知れません。

近代になると、ポリフォニーはしだいに衰退して、「主題」という主人公が物語を歌い出すモノフォニーの音楽が主流になってきますが、それでも対位法の思想は和声学（ハーモニー）に姿を変えて、おびただしい数量と種類の音楽を生産する原理として生き続けました。それにモーツァルトもベートーヴェンもバルトークもシェーンベルクも、時代遅れとされた対位法をよみがえらせる努力を惜しみませんでした。ポリフォニーは旧石器型の思考に属しています。動物の家畜化にはじまる新石器型の都市的文化においては、人間の行為が紡ぎ出す「物語」を背景である自然から分離していこうとする傾向が大きくなっていきましたが、それとは正反対の思考法であるポリフォニーは教会音楽に潜り込んで、野生の思考としての生命を守り続けたのでした。西欧で驚くほどの発達をとげた芸術音楽が、モンテヴェルディからワグナーにいたるまで、いつも神話に引かれていたというのは、たぶんそのことに原因があるのでしょう。

エイゼンシュテインはそういう本質をそなえた音楽をモデルにして、映画芸術の理論を創造しようとしたのです。彼は映画は野生動物そのものであるか、さもなければ野生動物を追っていた狩猟採集の民のようでなければならないと考えていました。少し長いですけども、彼がじっさいに書いた文章を読んでみることにしましょう。

高度の（最高の？）段階にある対位法は、その基本的特徴において、人間活動の最も原始的な段階に存在した二つの本能的原理を反復しているように、私には思われる。

原始時代、その二つの本能的原理は、人間の二大芸術領域——たしかに、まだ「優美な」芸術では全然なく、実践的・応用的な芸術に過ぎなかったが——を生み出す。しかし、また、これら二つの芸術は、その本能的な自己の構造において、人間のみではなく、人間のはるか遠い祖先にも存在したと思われるものである。

私の念頭にあるのは、きわめて原始的な二つの人間活動——つまり、狩猟の仕事と編み籠の技能——である。その後者、つまり編み籠の技能は、織布の技能（つまり、人体を覆う弾力的な籠を繊維で編む技能！）よりもはるかに古く、巣を「編んで造る」能力のある小鳥にさえも見られる技能である。……

対位法的構造の魅力（吸引力・作用力）は、それらの構造が、いうなれば、私たちの内部に奥深く組み込まれた狩猟及び編み籠の本能を生き生きと蘇生させるからだし、それらの本能そのものに作用することによって、精神の深層まで深く魅了するからである。それは間違いない。

一方の本能は、個々のモチーフから編み上げられる統一的全体の編み物のもつ魅力の原因であり源泉である。もう一方の本能は、統一的全体に編み上げられる声部群の密林のなかを通り抜けて個々のモチーフの線を追跡する狩猟の魅力の原因であり源泉である。（前掲書五六〜五七ページ）

驚くべきことにエイゼンシュテインという天才はなんとバッハの偉大な音楽の根底に、「狩猟の仕事と編み籠の技能」に発揮された旧石器的な人類の思考の、新しい発展形態を見いだそうとするのです。私はエイゼンシュテインの直観に、全面的にしたがいます。この着想は思考のアクロバットなどではないからです。編み籠の技能はいずれ土器の製作に発展していくことになりますが、そこでも「個別モチーフを統一的な全体に編み上げていく」という原理が生かされていくことになります（ちなみに、日本列島でさかんにつくられた縄文土器の文様は、土器に先行する編み籠の文様を粘土で模倣することからはじまった、と言われています）。西欧のご婦人方の好む手芸は、あきらかにこの伝統に属するものですし、緻密な努力を必要とする手芸の技能と作曲の技術の間には、なにかのつながりを予想させるものがあります。

それればかりではありません。レヴィ＝ストロースの説によると、「統一的全体に編み上げられる声部群の密林のなかを通り抜けて個々のモチーフの線を追跡する」という狩猟の原理は、神話の思考として別の形で発展していくことになりましたが、神話を失った西欧キリスト教の社会では、まるでそれを補うようにポリフォニーという音楽思考が発達することになったと考えられるからです。

＊

レヴィ゠ストロースの労作『神話論理』は、神話とポリフォニー音楽との密接な関係を、あますところなく語っています。南北アメリカ大陸の先住民が語り伝えた膨大な神話群を分析した彼は、神話の中にフーガ、カノン、対位法などの音楽用語を使って分析できる構造が存在していることを、あきらかにしてみせました。それを読んだ一部の批評家たちは、レヴィ゠ストロースが西欧文明に所属している概念を、勝手に先住民文化に持ち込んで分析していると非難したものですが、エイゼンシュテインがそれを聞いたらさぞかし嘲笑《あざわら》うことでしょう。

西欧文明が発達させたポリフォニー音楽は、キリスト教文明の占有物などではありません。それは神話が先住民文化の占有物でないのと同じです。両者は同じホモサピエンスの心の構造から生まれたものとして共通性をしめすのであり、西欧に見られたように神話が抑圧されると、それを補うかたちで神話の構造原理をもったポリフォニー音楽が発達するようになる現象が見られるほどなのです。このエピソードはホモサピエンスとしての人類の思考能力の普遍性をしめしている話として、むしろ感動を誘います。「野を開く鍵」の一つとしてバッハの音楽を理解できる——これはなんとも愉快な話ではありませんか。

こうして映画と音楽と神話を結ぶたしかな連結線が、浮かび上がってきます。この三つの芸術はいずれも感覚的・情緒的な「人間的自然」という素材をもとに、それを無意識のバイロジック思考によって緊密な統一体につくりあげます。神話はそれによって人間と自然との間の閉ざされてしまったコミュニケーション（交通）の回路を再び開こうとし、音楽は思考と感覚の間の失われた統一を取り戻そうとしています。この三つのうちでもっとも若い芸術である映画は、みずから視覚的音楽となることをめざすことによって、イメージを家畜化の状態から解き放って、創造的な「ムンドゥス・イマジナリス」の空間に連れ戻そうとしています。

「新石器革命」のもたらした動物の家畜化は、世界に交通を遮断する壁を築いてきましたが、これらの芸術はいたるところにつくりだされた無数の壁を越えて、世界に流動を取り戻そうと試みてきました。そのとき有力な働きをしているのが、映画と音楽と神話に生命をあたえている対称性で働く無意識にほかなりません。これらの芸術は、一神教とは違うやり方で、「新石器型」の文明のもたらす弊害と戦ってきたのです。

映画と音楽、音楽と神話を結ぶ回路ははっきりと見えてきましたが、まだ一つだけ語り残してある連結線があります。それは映画と神話を結ぶ連結の線についてです。この問題に取り組むための素材として、これから私たちは一本の映画を見ることにします。『ベイブ』、主人公は一匹の子豚、家畜化された世界の矛盾を一身に背負って生きる動物です。アニメーション映画の隠された主題は「新石器革命」のもたらした家畜化の現実ですが、その意味ではこの映画は、アニメーション映画の倫理そのものを問うているのかも知れません。では一時間半後にまたお会いしましょう。

「ベイブ」

クリス・ヌーナン監督　Babe　一九九五年　オーストラリア

〔写真協力　(財)川喜多記念映画文化財団〕〔ユニバーサル・ピクチャーズ・ジャパン〕

お祭りの景品だった子豚ベイブが、愉快な動物たちが暮らす、ホゲットさんの牧場に、引き取られてくる。メソメソしている幼いベイブをなぐさめてくれたのは、牧羊犬のフライだった。

ある日ベイブは、牧羊犬フライと一緒に、羊たちの見張りをする。はじめはベイブをバカにして、勝手に動き回っていた羊たちも、ベイブがていねいにお願いすると、言うことを聞くようになって、ホゲットさんからも牧羊〝豚〟として認められる。

ある時、ベイブは、〝牧羊犬コンテスト〟に出場するが、なかなかうまく羊を誘導できない。そんななか、ある呪文を口にすると、羊たちはベイブの思うとおりに動くようになって、コンテストで優勝するスーパー牧羊豚となる。

ユニバーサル・ピクチャーズ・ジャパン

ユニバーサルセレクション
キャンペーン第1弾 初回生産限定

お祭りの景品としてホゲット氏と出会う

ベイブと牧羊犬フライ

立派な牧羊豚になったベイブを抱きしめるホゲット氏

4　交通の神話とアイロニー

この映画の原作を書いたディック・キング＝スミスという人は、若い頃から農場を経営してたくさんの動物たちとつきあいがあった人ですが、あるとき経営破綻に陥り農場が人手に渡ってしまうという苦い体験をしたこともあるそうです。そこで家族の生活を支えるために小学校の先生になり、ものを書くことをはじめました。たくさんの児童文学の作品を書いた人ですが、その中でもこの映画の原作になった『牧羊豚』という作品は、文学賞をもらったり映画化されたり、子供たちにもたいへん人気のある傑作です。私などは一度ならず、この作品の神話学的分析を考えたことがあるほどで、それほどに豊かな内容をもった文学作品だということでしょう。

オーストラリア生まれで、やはり幼い頃からたくさんの動物に囲まれて育ったクリス・ヌーナン監督は、『牧羊豚』を読んですぐさま映画化を考え、著者の許可を取り付けましたが、撮影に取りかかるまで何年もの間準備を重ねながら待ちました。なにを待っていたのかと言うと、ＣＧの技術が発達して、動物がほんとうにしゃべっているようなシーンが撮れるようになるまで、ひたすら待ったのだそうです。そしてとうとう動物がほんとうにしゃべっているようなＣＧがつくられるようになったとき、満を持して撮影が開始されたのです。ＣＧの発達はただこのためにこそあったのだろう、などと私などは考えてしまうほどです。

動物がまるでほんとうに人間のことばをしゃべっているように見える、それは旧石器時代以来、人類の神話的思考の夢だったからです。神話は人間がまだ動物とひとつだった頃のことを語る話です。その頃は、動物は人間の言葉を理解し、人間もそうしようと思えばいつだって動物になることができ、おたがいの間には結婚も可能でした。そののち人間と動物の間には簡単に乗り越えることのできない、深い溝が発生してしまいましたが（その理由はさまざまですが、人間が火を使って料理をはじめたことが、もっとも大きな原因となった、と多くの神話は語っています）、それでも人間はかつて実現されていたと信じられているこの神話の時間が取り戻される可能性は失われてはいない、と信じていました。

いまや人間は自然界でも宇宙全体においても、まったく孤立した存在となってしまい、ほかの生命体とのコミュニケーションの可能性をなくしてしまっているように見えます。しかし神話を語ることで、そのような時空にいまでも入り込んでいくことができる、これが何万年もの間、人類に神話を語り継がせてきた、ほんとうの理由であろうと思います。これを言いかえれば、あらゆる神話の語ろうとする唯一の主題は、コミュニケーションの回復であるということになります。じつは、映画と神話を結んでいる太い糸というのも、このコミュニケーションの回復という主題ではなかろうか、というのが私の考えなのです。

レイチェル・カーソンという海洋生物学者・エッセイストに『沈黙の春』という、地球環境問題への警鐘をいち早く打ち鳴らした、大変にすぐれた先駆的作品がありますが、この本の中に自然が人間にたいしてもはや沈黙して語らなくなってしまった現代、という描写があります。しかしじっさいには、このような事態は近現代になって急にはじまったことではなく、「新石器革命」と呼ばれる人類の思考様式の組み替えがおこなわれるようになったときから、すでに準備されていたと言えるのではないでしょうか。

家畜化された動物たちは、人間の命令に従順に従います。ところが野生動物はそうはいきません。野生の山羊と家畜として飼育された山羊を、比べてみてください。野生の山羊は堂々としていて、人間に少しも卑屈な態度を見せません。険しい岩の崖に立って、じっと人間のすることを見下ろしています。ある意味では人間の言うことを聞かないわけですから、人間と野生の山羊の間にはコミュニケーションが発生できないように思われます。ところが、静かにこちらを見下ろしている野生の山羊とたまたま目が合ったりすると、私たちはお互いの間になにかの理解が流れ出したような、不思議な感覚を覚えるものです。

家畜として飼われている山羊たちは、犬のようなわけにはいきませんが、それでも人間がこちらへ進めという信号を出せば、おとなしくそちらへ歩いていきますし、止まれと命令すれば停止します。そこだけ見れば両者の間に、コミュニケーションは実現されています。しかしそれは信号とか情報のレベルでのコミュニケーションであって、よほど深い関係が築かれているのでないかぎり、存在のレベルでのコミュニケーションは起こりそうにもありません。動物たちは家畜となることによって人間社会の周辺に暮らす、その社会の半成員となったのにもかかわらず、むしろ人間との間のコミュニケーションは深いレベルで閉ざされてしまっているように感じられます。これは私だけの思い込みではないと思われます。

＊

動物と人間との間の対称的関係が崩れて、そこに身動きもつかないような非対称的関係がつくられるとき、両者の間に実現していたコミュニケーションは途絶してしまいます。地球上の生き物たちは互いに「存在の呼びかけ」をおこなっていますが、そのとき応答が発生してコミュニケーションの回路が開かれるためには、どうやら互いの間に対称的関係が実現されていなければならず、この点から見るかぎり動物の家畜化と農業の開始によって「新石器革命」がこの世界に導入したものの一つとして、諸存在間のコミュニケーションの閉鎖という悲しむべき事態が起こったということを、私たちは忘れてはならないでしょう。

技術的な段階で言えばまぎれもない「新石器人」でありながら、動物の家畜化や農業の導入を受け入れなかった人々の間には——こういう人々はほとんどの場合文字を持たず国家をつくろうともしませんでしたが——人間と動物の間のコミュニケーションは今も可能であると語る、たくさんの神話が残されています。それはつぎのような形をとって語られます。

すぐれた狩人を父親に持つ男が、美しい女性に変身した牝山羊に誘われて、山羊の世界へ入りそこで結婚する。発情期を迎えた山羊たちはさかんに番《つが》うが、男も山羊の毛皮をもらってすべての牝山羊と番う。しばらくして別れがやって来る。山羊の妻は子供と牝の山羊は狩ってはいけないことなどを男に諭して去っていく。男は山羊の心を知る、すぐれた狩人となって戻ってくる。（トンプソン・インディアン、要約）

こうして神話では、人間と動物を隔てる壁が取り除かれて、両者が同じ有情《うじょう》（仏教では心を持った存在として、人間と動物を同じものとして考えます）として一つの空間を共有する可能性が、生き生きと語りだされています。もちろん現実の狩猟民の世界では、人間と動物は潜在的な敵同士ですから、いったん結婚した者同士も別れていかなければならない運命にありますが、一度開かれたコミュニケーションの回路は相互理解とお互いの敬いの気持ちという「特別な知識」を、人間たちの間に残していくことになります。そこでは別れは悲劇ではないのです。悲劇とは根源的なコミュニケーションの失敗を意味していますから、人間と動物の現実世界での別れは、むしろお互いの間の適切な距離の実現として理解されます。

神話に語られているような人間と動物の間のエロティックな関係は、農業が発達した社会では民話として語られるようになりますが、ほぼ例外なく悲劇的な結末をたどるのが常です。「馬娘婚姻譚」として日本の東北地方で伝えられてきた、つぎのような民話を見てみましょう。

長者の一人娘が飼っている立派な馬をかわいがっているうちに、いつしか娘と馬は恋に落ちてしまった。これを知った親は馬を殺して皮を剥いで、庭に干しておいた。それを知った娘はひどく悲しんで、干してあった皮にすがって泣いていた。すると風が巻き起こって、馬の皮がするすると娘の体を巻き上げて、天上に連れ去ってしまった。娘を覆った馬の皮は、そのまま蚕に姿を変えた。蚕は人間の娘と馬の合体から生まれたものなのである。(要約)

馬と娘は家畜動物と人間の関係のまま恋に落ちるのですが、人間の側の無理解に阻まれて、馬は殺されてしまい、皮が残されることになります。そして娘はこの皮に包まれて天界へ去っていき、そこで二人の恋愛は成就されることになります。民話ではこのように、人間と動物が自由に行き来する対称性の空間は出来にくい事情があります。民話が語られている社会は家畜化と農業をベースとしてつくられている、まぎれもない「新石器型社会」として、人間と動物の間にうがたれた深い非対称性の溝を、想像力によって越えることさえ困難な状況になっています。そこでそういう社会では、いきおいネズミや猫が出入りしている境界領域に関心が集まることになります。ネズミや猫は人間の世界と動物の世界の中間にある空間として、弱められた形での対称性の幻想を生みだすことができるからです。

*

しかし、じっさいの農場ではもっと深刻な対立が発生しています。そこに豚やアヒルのような、人間に「食べられる」ことを目的として養育される、特別な家畜がいっしょに飼われているからです。動物たちは同じ家畜として表面上は仲良く暮らしていますが、それぞれの将来に待ち構えている運命の間には、深淵がうがたれています。犬、猫、牛、羊、それにネズミなどは、農場主の一家によって「食べられる」ことを目的として、飼われているのではありません。性悪の猫がいみじくも語っているように「猫はネズミを追い、かわいがられるために」飼われているのに対して、豚やアヒルは最初から「食べられる」ことを目的として、かわいがられています。

つまり、豚やアヒルと人間の間につくられる関係は、絶対的な非対称性につらぬかれているわけで、どんなに子豚をかわいがって育てようとも、それはクリスマスにおいしい子豚の丸焼きかソーセージに調理して、食べるためです。人間は子豚をかわいがり、子豚もそれに応えるという、愛情の関係が育ったとしても、キリストの聖誕祭にはそれが裏切りを運命づけられた愛情であったことが、露呈してしまうのです。ここにも関係の非対称性の中からは、贈与的な関係も信号的でないコミュニケーションも発生しえない、というこの世界の構造がはっきりと示されています。おだやかな農場の暮らしは、舞台裏で繰り広げられる悲劇を内包しています。

ところで北方民族の中には、熊の子供を小さいうちに拾ってきて、大事に育て上げたあと、

「送り」（北海道アイヌがこれを「イヨマンテ」と呼んでいることは、みなさんもよくご存じでしょう）をとおして神のもとに帰す、という儀礼をおこなっています。人間のしていることの表面だけを見れば、動物の子供に母乳を与えるなどしてまるで自分の子供のようにして育て、大きくなったところで殺して、肉を食べるわけですから、その点だけ見れば農場の子豚を待つ運命と変わりはありません。しかし、なにかが決定的に違っているようです。それはおそらく対称性の思考とそれが開くコミュニケーション回路の有無ということにかかわっていると思われます。

北方民族の間では、熊は狩猟動物であると同時に神であるという考えがありました。狩猟のさいに熊は恐るべき力をもった、動物界で最強の敵です。人間の意志に服することなどは、とうてい考えられません。ですからそういう熊を相手にするとき、人間はまったく対等な立場で向かい合わなければなりません。しかし、神話的思考が教えているのは、そうやって人間に向かってくる熊は、じつは自分の生命を人間のために投げだそうとしているということなのです。人間が熊と見ているのは、じつは熊の毛皮を着た神なのです。人間と家畜化される前の動物の間には、こういうコミュニケーションの回路が、いつも開かれていました。そこに対称性の原理が生きていたからです。

最近の研究では、北方民族がおこなっている「送り」の儀礼は、おそらく「新石器革命」以前に一般的であった対称性思考につらぬかれた世界観と、中国北東部あたりで発達しだした豚の家畜化との、中間的な形態として実践されるようになった可能性が、示唆されています。豚ならぬ熊を子供の頃から養育することによって、家畜動物と人間との間に動かしがたい壁のようにそそり立つ非対称性を、彼らは狩猟民の伝統が保ち続けてきた対称性の思考によって、乗り越えようとしていたのかも知れません。イヨマンテのような儀礼をたんなる「伝統」として扱うのは、間違った態度なのかも知れません。それは「新石器革命」がもたらした諸存在とのコミュニケーションの途絶という現象を前にしたときに、「自然民族」たちが試みた一種の芸術による挑戦であったのではないでしょうか。

*

この映画の中で、子豚のベイブが実現してみせたのも、「新石器革命」が動物たちの運命にもたらしたさまざまな悲劇的帰結に対する、まことに英雄的な挑戦でありました。ベイブは「新石器革命」以後の世界にもたらされた、諸存在間のコミュニケーションの途絶という現実に挑戦して、そこに小さいとは言えじつに霊妙な一つの回路を開くのに成功したのです。さきほどまで皆さんの目が潤んでいたのに、私は気づいていました。この映画のもたらす感動は、たとえ作り話だとは言え、この世界にそのような回路が開かれることもありうるのだという神話的メッセージに、みなさんの無意識が深く揺り動かされたからであろうと思われます。では賢い子豚のベイブはどうやって、私たちの世界の一角に、そのような回路を開くことができたのでしょうか。

動物と飼い主である人間の間のコミュニケーションは、もっぱら信号的で命令です。両者の間には、主人と従属する者の関係が強固に打ち立てられていますから、その関係をベースにして命令的信号の伝達は、ほぼ一方的におこなわれます。この関係をなぞっているのが「牧羊犬」です。もともと犬と羊は同じ家畜動物として、同格であるはずですが、牧羊犬は人間の主人のいわば「換喩《メトニミー》」として、「人間―羊」関係をそのまま縮小して、「牧羊犬―羊」関係を築くのです。

とうぜんこの関係の中に、豚は入っていくことはできません。豚は犬と違って「食べられる」ために育てられている動物として、ほかの家畜に命令する立場に立つことなど、いままで考えられたこともありません。ところが一風変わったところのある農夫のホゲット氏は、偶然にも自分の飼っている子豚に、今年のクリスマスにはおいしいハムになってもらおうと考えてかわいがっている子豚に、意外な牧羊犬としての才能があることに気づきます。そして、奇想は昂じて、とうとう全国牧羊犬大会に名称「ピッグ」という牧羊犬として、出場させてみようと考えたのでした。

「ぼくをほんとうは食べるために飼っているんでしょう」という根本の猜疑心を越えて、しだいに一徹な農夫のホゲット氏と子豚のベイブの間には、真実の心の交流が発生しだすのです。そして大会当日、会場に現れた「ピッグ」なる牧羊犬に、会場は大笑いの渦に包まれます。なによりも、滑稽に思っていたのは羊たちでしょう。自分たちの踵を嚙んだり、命令口調で吠えたりする牧羊犬が、今日は出てこないのはラッキーだとしても、そのかわりになんでこんな子豚が出てこなければならないのだろう、と訝《いぶか》りました。こんな奴を相手に従順な羊ぶりを披露してやるなんてまっぴらさ。どの羊たちもそう思いはじめた、そのときでした。

ベイブが羊たちだけが知っている秘密の「鍵ことば」を、しゃべりはじめたのです。

バー・ラム・ユー、バー・ラム・ユー、羊毛を着た同胞たちに、かわらぬ忠誠を、かわらぬ愛を

それはまさに「野を開く鍵」でした。電撃に打たれたように、羊たちはベイブを真実の仲間と認定して、子豚の語ることばに真摯に耳を傾け始めました。ベイブが羊たちに語りかけます。「みなさん、ではそろって前進してください」。子豚は羊たちに命令し、行動を抑制する牧羊犬のように語ることをしませんでした。ベイブはオーケストラの指揮者のように語りかけたのです。羊たちは足取りもエレガントに、子豚の指揮のもと一糸乱れぬ行動をとりはじめました。

呆然としてこの光景を見つめる観客たちの眼前に、それから繰り広げられたことは、まさに対位法的音楽の奇跡そのものでした。羊たちと一匹の子豚がつくりあげていく視覚的対位法の音楽です。羊の群れは二組に分かれてしずしずと並列行進を続けていきますが、あるところま

で来ると一方の列は速度を緩め、もう一方の列が大きく回り込んでカーブを切り終えるのを待ち、方向を変えてまた二列の並列行進に戻ります。無言のまま（子豚はなんの命令信号も出しません）互いの呼びかけがあり、応答がおこなわれ、一匹一匹は自由でありながら、全体の統一をつくりだしていくのです。バッハの音楽のように、すべてが完璧でした。嵐のような満場の拍手と歓声に包まれながら、子豚とホゲット氏は幸福そうにその場にたたずむのでした。

しかし最後までアイロニーは保たれ続けます。どんなに達成感を共有していようと、子豚の「しゃべっている」ことばは、ホゲット氏には理解されず、動物は動物、人間は人間のままでいなければなりません。「新石器革命」のはるか後の世界を生きている私たちは、もはや動物と人間が区別をなくして自由にことばを交わしあい、結婚したり、子供をもうけたりする世界を、そう易々《やすやす》とは考えられなくなってしまったからです。

それほどに野生動物の家畜化が、人類の思考にもたらしたものは巨大でした。それは人間の動物への生成変化に手強いブロックを築いてしまったからです。そのために、人間と動物の深い存在レベルでのコミュニケーションを描こうとするときには、かならず大人の諦観にも似たアイロニーが伴うのです。これがおそらくは、「新石器革命以後」の家畜化された世界での、可能なコミュニケーションの形態なのでしょう。子豚のベイブの実現してみせたこと以上のことは、たぶん誰にも実現できないのではないでしょうか。

ベイブの武勲《いさおし》がこの世界にもたらしたものは、エイゼンシュテインがモンタージュの思想をとおして実践しようとしていたことと、おそらくは同質のものであろう、と私は思います。モンタージュは世界の表面にちらばってしまった意味生成の断片を、野生の思考の原理と編み籠の技法を使って、一つの生き生きとした視覚的音楽の統一体に編み上げることを意味していました。モンタージュによって編み上げられた諸存在は、映画の中でたがいに対位法的に歌い交わし、理解し合い、愛し合うようになります。つまりは全面的なコミュニケーションの回路が、諸存在の間に開かれるのですが、それこそはまさしく、神話の思考がときには「新石器革命」のもたらしたさまざまな帰結に抗しながら、この地上に実現したいと考えていたことでした。

エイゼンシュテインが『戦艦ポチョムキン』で語ったことば、「一人はすべてのために、すべては一人のために」は、子豚のベイブの思想でもありました。音楽と神話と映画は、こうして「新石器革命」以後の世界にあって、アイロニーに守られながらも、失われた時と空間を取り戻そうとしてきたのです。

5　二つの四面体

こうして四日間続いたこの講義をとおして、宗教と神話と音楽と映画のつくりなす「四面体」が、私たちの前に浮かび上がってくることになりました。このうちのどれが頂点に来ても構わないのですが、ここでは映画を頂点とする四面体を描いてみましょう。

この四面体をながめていると、いろいろと面白いことがわかってきます。「旧石器革命」をとおしてホモサピエンスの脳組織に開かれた可能性は、人類の心に超越性の領域をつくりだし、宗教はその認識を映画的構造をとおして、観念のスクリーンに「映写」してきました。しかし、その宗教の内部からイメージの魔力からの脱出（出エジプト）をめざす、一神教の冒険

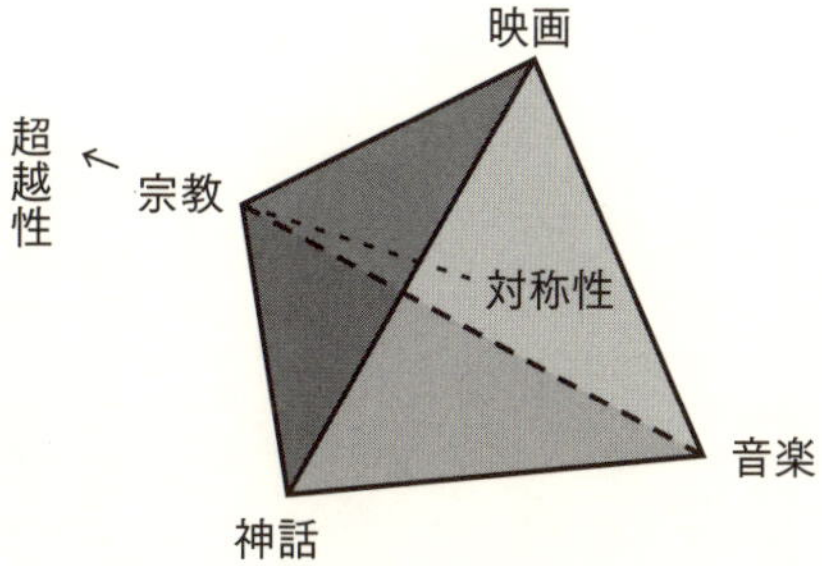

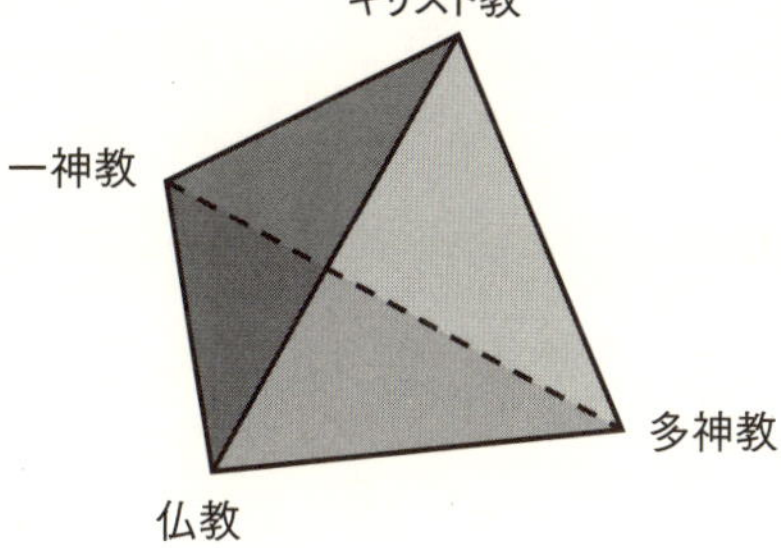

が出現したのです。一神教は神話にも音楽にも批判的で、神話よりも歴史思考を高く評価し、音楽からはイメージの喚起力を取り除こうとしてきました。

映画はイメージの組織体ですから、とうぜんモーセ的な一神教は、原理的なことを言えば反映画的です。その意味で映画には、いっぽうで多神教的な神話と音楽に引かれる力が働くとともに、一神教のイメージ批判との緊張した関係が潜在しつづけることになり、映画を諸宗教の中で類似の位置に立つキリスト教に、近づけてきたのでした。その意味で、映画とキリスト教の間には特別な関係がひそんでいますが、それはキリスト教が諸宗教のかたちづくる観念システムの中で、映画とよく似た位置に立つからです。

映画はつねに視覚的音楽であろうとしてきましたし、神話は語られた音楽として無意識の思考を編み上げ、映画—神話—音楽の三つを私たちの心の本質をなす対称性無意識が統一していきます。フォイエルバッハの宗教批判の精神から出発した私たちは、どうやら宗教の先に出現してくるであろうものの、ごく間近にまで接近することができたように思われます。

超越性が心の中に発生してくるのは、私たちホモサピエンスの心の構造の本質をなしていますが、「新石器革命」以来、人類はそれを心的活動のほかの領域に組織化する手段として、さまざまの形の「宗教」を生みだしてきました。二十一世紀はじめの私たちが抱えているのは、多くの豊かな文化を生みだしながら、一神教をはじめとする宗教がことごとく、現代において深刻な機能不全に陥っているという現実を、いかにして乗り越えていくか、という課題です。

フォイエルバッハやマルクスは宗教批判の彼方に、「人間」を見いだそうとしました。しかし私たちはそのような人間主義のさらに彼方《かなた》に、ホモサピエンスとしての「心」とそれを生み出した宇宙的自然を見いだすべき時が来ているると感じるのです。神話と音楽はすでに何万年も前から、そのことに気づいていました。そして比較的若い芸術である映画が、遅ればせながらそのような自己認識の前線に参画したとき、まっさきに気づいたのは自分が神話や音楽の年の離れた兄弟であり同伴者であるという事実でした。人類が最後の拠り所とすべき場所は、もはやホモサピエンスとしての、その心の構造にしか見いだされないでしょう。

第五章

洞窟の外へ

――ＴＶの考古学

1　旧石器時代の「テレビ」

イメージによる思考は、人類の「心」に特有のトポロジーに直接結びついており、しかもそのトポロジーの構造には、ごく限られた類型しか存在していないようです。そのために、たとえ表現のメディアが違っていても、おたがいの間にきわめてよく似た表現があらわれるということがおこります。そのことを私たちは、これまでの探究の中で（第一章から第四章）、映画と宗教を結んでいる横断的な回路を探ることによって、あきらかにしてきました。イメージによる思考にはじめて表現が与えられることになったのは旧石器の宗教活動の中でしたが、そこにあらわれた表現と、いまからわずか百年ほど前に生まれ、資本主義の中で現在も発達をとげつつある産業としての映画の領域でいまも続けられている表現との間には、じつに多くの「不変要素」を発見することができるのでした。

私たちが「洞窟性」と呼んだものも、そうした不変要素のひとつです。人類のおこなった最初のイメージ表現が、洞窟の中でおこなわれたことは、よく知られています。奥行き数百メートルもあろうかという深い洞窟の暗闇の中で、旧石器の人々は自分たちの脳内に「流動的知性」として発生した「無意識」の動きを、真剣に見つめようとしていました。彼らはそのとき「見た」ものについて思考しただけではなく（その思考から最初期の宗教というものが発生したのですが)、イメージとして表現しようとしたのでしたが、宗教と芸術のはじまりをなす、このときの出来事全体の構造を、私たちは「洞窟性」と呼ぶことにしました。

そこにはまだ多神教の神々や一神教の神もいませんし、美術や美術史の概念すら存在していません。しかし、そこにはすでに、数万年後におこるであろう映画の出現が予告されていた、と私たちは考えたのでした。たしかに映画には、まぎれもない「洞窟性」の特徴がそなわっています。映画にはイメージに変換された「無意識」のなまの活動の痕跡を、ありありと見届けることができます。また映画は複数の「層」をなすイメージの層状組織体としてつくられていますが、たかだか百年の歴史しか持たない映画に実現されている、このイメージの層状組織は、数万年も前の旧石器の洞窟に描かれたイメージ群の中に見いだすことのできる層の構造と、驚くほどよく似ているのです。

ことによると「映画的構造」とは、カメラやフィルムやスクリーンなどの具体的な映画の装置だとか、サスペンスやアクションやホラーやエンターテインメントなどのような具体的な表現内容などをはるかに越えた、脱テリトリー的な抽象概念なのかも知れません。もしそうだとすると、私たちはまだ映画が存在していないところにも、「映画的構造」の活動を見いだすことができるのではないでしょうか。私たちはこのような思考によって、いまだに映画という機械装置がつくられていない場所に、「映画的構造」をしたトポロジーの活動痕跡を発見しようと試みてきたのでした。

このような試みはほとんど前例のないものですので、私たちの仮説はこれからさまざまな試練に立ち向かっていかなければならないでしょう。それをより完全なものに近づけていくためには、私たちはまずつぎの問いに答えることができなくてはなりません。映画の発明から数十年たった頃、映画には強力なライバルが出現しました。テレビというライバルです。どちらも動くイメージを扱うメディアである点で、映画とテレビには多くの共通点もあって、表面上は互いが共生していくのもそれほど難しくないようにも見えますが、一歩内面に踏み込んでみると、映画とテレビとは本質的なところで、鋭く対立しあっている様子が見えてきます。映画に「映画的構造」があるように、テレビには「テレビ的構造」が潜在しているようです。

そういう映画とテレビの対立関係は、たんに偶発的なものではなく、本質的なものをはらんでいるように思えます。そうなると私たちの仮説が正しいとするためには、「映画的構造」と「テレビ的構造」の間にある本質的な対立とまったく同じ対立関係を、旧石器的な状況の中にも見いだすことができなければならないことになります。別の言い方をすれば、旧石器の洞窟祭儀が「映画的構造」をそなえているのだとすると、その社会において、「テレビ的構造」をになっていたものは何であったか？　という問いになります。

映画の中に洞窟の主題を見つけるのはそれほど困難ではありませんでしたが、旧石器や新石器の社会に「別の形態をしたテレビ」を見いだすのは、けっこう難しい問いかけです。難しいばかりではなく、むしろ珍妙です。しかしこの問いが見かけほど無意味でないことが、あとでわかるでしょう。それどころかこの問いかけは、私たちの社会であまりに日常的な存在になってしまったために、すっかり見えなくなってしまったテレビというものの本質を、照らし出してくれます。

それにしても、どこから取りかかったら良いのでしょう。ここではさすがに考古学を期待することはできません。人類学の知識にしても、もっと問題の見通しが良くなってからでないと、威力を発揮しません。ところが意外なことに、ヒントは、いま私たちが楽しんでいるテレビそのもののうちに、潜んでいます。現実のテレビの内部で活動している、抽象的な「テレビ的構造」を探り出してみると、問題の解明は私たちを意外な方向に連れ出していくのです。

2　コミュニケーションと時間性

映画とテレビのいちばん大きなちがいは、すでに両者の草創期にはっきりとあらわれていました。映画の発明と初期の開発には、つねに興行師がからんでいました。つまりはじめからそれは、新しいエンターテインメントの創出をめざしていたわけで、それが独自の芸術でもありうることが認識されるのには、かなり時間がかかっています。

ところが映画から数十年遅れて開発されたテレビの場合は、事情がまったくちがっていました。初期のテレビの開発には、興行師はほとんどからんでいません。テレビの発想は一八八〇年代に、写真電送の考えの延長上に生まれたもので、ベル研究所が、主導的な役割を果たしています。

テレビ開発に向けたベル研究所の標語は、「より進んだコミュニケーションの道具を！」でした。遠隔地に短時間で、できるだけ正確に情報を伝えるためのツールとして、テレビは開発されたのであって、けっしてエンターテインメントが目的ではありませんでした。エンターテインメントでは、情報の正確な伝達ということは、主目的とはなりえません。あとで詳しく見ていきますように、エンターテインメントでは冗長性や反復や意味の侵犯性や歪曲や無意味化などが、頻繁にあらわれてきます。それによって、コミュニケーションの回路は短絡化されたり遅延化されたりして、伝えられる情報ははじめから撹乱《かくらん》を受けています。ニュースから政治討論まで、なにからなにまでがエンターテインメント化しかかっている今日のテレビからは想像もできないことですが、はじめテレビは映画の対極にあるメディアだったのです。

テレビはこのように、より発達したコミュニケーション手段として開発されたものです。そのことは、テレビのハード面を観察してみると、はっきりわかります。ベル研究所を中心にすすめられた研究では、写真電送の技術をテレ＝ビジョン（遠隔に伝えられる視覚像）にまで進めるという開発方針がとられましたが、これはたしかに正しい方針の選び方でした。写真を光電セルを使ってたくさんの素子に分解して、それらを時間軸にそってきちんと順序配列させて、受信側に電信で送り、送ったときと同じ順序にしたがって電気信号を光の濃淡に変えることによって、写真を復元するという技術です。

ここに映画の機構を結びつければ、テレビの原理が出来上がります。連続写真を撮影して、それを続けざまに写真電送の考えで遠くに送信して、復元することができれば、動くイメージを正確に、即座に送ることができるでしょう。こういう考えにそって、二十世紀の一〇—二〇年代にかけて、しのぎを削る開発競争を通じて、テレビは誕生したのでした。

*

ハード面におけるテレビの本質を知るために、ここでは実用化の点で当時抜きんでた成功をおさめた、スコットランド人ベアード(John Logie Baird)のテレビジョン方式を取り上げて、テレビの本質を考えてみることにしましょう。複雑に発達しきった今日のテレビ組織体について考えるよりも、生まれたばかりの子供の状態で考えたほうが、ものごとの本質にすばやく達することができるでしょう。ほかのものごとと同様に、テレビも赤ん坊の状態のうちに、すでに自分の本質をあらわにしめしているのです。

次ページの図が、英国BBCが実用放送に踏み切った時点で採用された、ベアードによるテレビジョン方式の原理をあらわしています(曾根有『テレビジョン』岩波全書、一九三四年より)。

初期のテレビは、イメージのスキャニング(走査)を、機械的な装置でおこなっていました。この走査装置は「ニプコウ Nipkow(氏走査)円板」と呼ばれるもので、金属の円板上に多数

ベアード式テレビの送受信システム

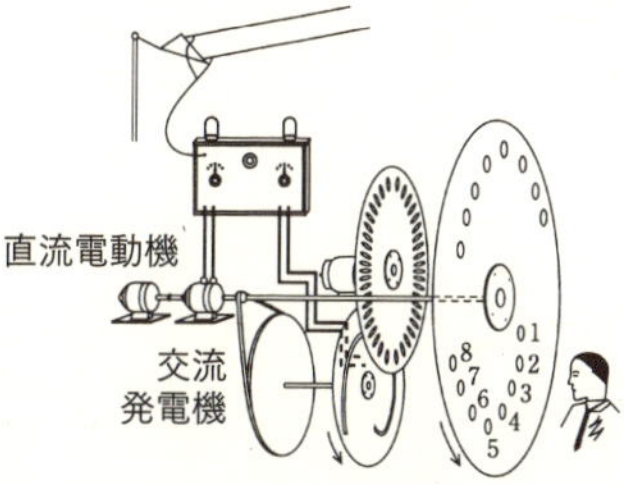

送影装置

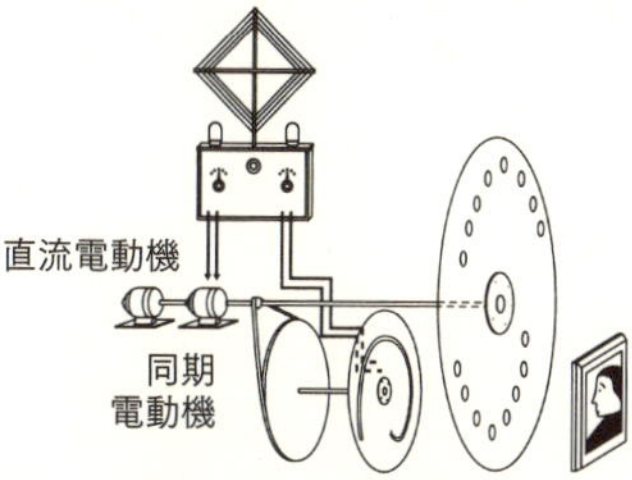

受影装置

送信側の像

受信側の像

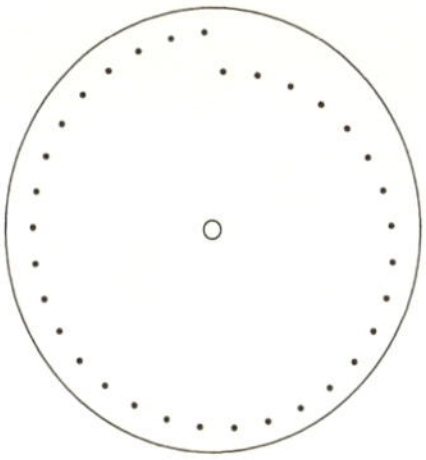

走査円板
ニプコウ氏走査円板

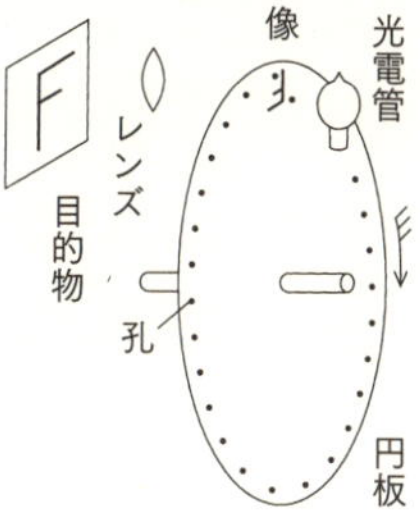

走査の説明図

の小さな孔《あな》を一巻きの螺旋状に穿《うが》ったものでできています。円板が高速で回転するのにつれて、孔を通過した光が後ろの光電管によって電流の強弱に変換され、受信器側ではそれをこんどは再び光の強弱に変換して、イメージを再現するという機械装置です。

イメージ対象のスキャニングは、時間軸にそっておこなわれなくてはなりません。送信器側のニプコウ円板が回転すると、それにつれて「覗き孔」の位置が移動していき、孔から漏れてくる光の量がそのつど計測されていきます。時間のずれが位置のずれと同調し、場所によって異なるイメージ対象の局所的情報が、正確な時間の流れにそって配列されていきます。こうして解析された局所的情報の配列を崩さないで、受信器側に伝えることができれば、正確なイメージが再現できることになります。

送信側と受信側の時間軸を「同調」させることが、テレビ装置の成功の鍵を握っていた、と言っても過言ではありません。テレビは映画の場合と違って、イメージの全体をとらえるのではなく、まずイメージの全体を分解・解析して、局所的情報として取り出し、その情報を時間軸にそって配列する仕組みとして、考え出されました。

高速でニプコウ円板を回転させますと、きわめて短い露光時間でスライスされた一枚の写真が、送信されます。これをくりかえすと連続写真を続けざまに映写する、映画と同じ視覚効果が生み出されます。ここに映画とテレビの、ハード面における最初の相違点があらわになってきます。テレビは映画よりも、ひとつだけ時間の次元が多いのです。テレビには映画になかったプロセスが、ひとつ追加されています。それは時間軸にそってイメージ対象をスキャニング解析して、局所的情報の集積体に分解してから、ふたたびそれを再構成するというプロセスで、その点で、テレビは映画よりも時間の論理性の支配が強い、と言えるのではないでしょうか。

映画の場合には、一コマのフィルムの上に、いちどきにイメージの全体が感光され、定着されます。そのイメージを見ている目は、全体をいちどきにとらえ、認識するのです。ところがテレビには最初から、全体などという概念は働いていません。局所的な情報がつぎつぎとスキャニングされ、それらを正確に同調された時間軸にそって「並べる」ことによって、イメージが再現されています。つまり、映画のイメージをとらえた脳は、全体認識を得意とする「対称性無意識」の力をかりて、それを処理しているのにたいして、テレビのイメージは「対称性無意識」に処理のために送り込まれる直前に、まず時間の論理性によって作動している別のタイプの無意識を通過していなければならない、ということになります。

テレビの場合には、映画の機構が動き出す前に、すでに時間性による「コード化」のプロセス処理がすんでしまっている、と言えるかも知れません。このことは、テレビを見ている私たちの意識にはとらえにくい事実かも知れません。しかし、私たちの無意識は、いや生体は、それをはっきりとらえています。映画とテレビとでは、無意識に送り込まれてくるイメージの情報構造に、はじめから大きなちがいが存在しています。そのことは、テレビがコミュニケーションの道具として開発されたのにたいして、映画はむしろ非コミュニケーションの装置として、エンターテインメント業界ぐるみで発達をとげてきたことと、深い関わりがあります。

私たちがはじめに想定した、人類の認知能力における「映画的構造」と「テレビ的構造」との差異は、どうやらじっさいに存在しているようです。その差異は装置としての面について見るかぎり、きわめて微小なものです。しかし、その微小な差異が、ついには大局的なトポロジー構造のちがいを生み出していくのです。洞窟的映画にたいするに、テレビはどのような地勢的トポロジーの中に置かれていくのか。その問いへの応答も、この微小な差異の認識からはじめられることになります。

3　洞窟のフィギュール

映画が「洞窟的芸術」であることには、別の意味もこめられています。映画的イメージは美学の理論で言うところの「フィギュール figure」としての特徴をそなえています。これは「ディスクール discours」という言語学の概念に対立する概念で、ディスクールが主に情報の経済的な伝達をめざすコミュニケーション行為であるのにたいして、フィギュールはむしろ情報の経済的伝達を阻害したり歪曲したりする、非コミュニケーション的な表現行為です。旧石器のホモサピエンスが洞窟内に描き残したイメージ群は、あきらかにこのうちのフィギュールとしての特徴をそなえています。

これまでの講義で私は、旧石器の洞窟に描かれたおびただしいイメージが、三つの群に分類され、それらの群が層状に積み重ねられてできあがっている事実を、くり返し強調してきました。くどいようですが、それをもういちど思い出してみましょう。

①第一群

心の内部空間にくりひろげられている流動的知性の運動を、直接的に神経組織の励起状態に変換したイメージ群。このイメージ群は脳内のいかなる局所的な機能にも縛られない流動性・脱テリトリー性をそなえているので、言語的な意味から自由であり、すべての意味表現の手前にあって、身体をなかだちにして宇宙的自然につながっている。

②第二群

脳内の視覚野で合成されたイメージを、非表象的なイメージ第一群に「被せる」ことによって、全方位に向かって運動していこうとする流動的知性に限定づけをおこなう。ここからイメージに表象性があらわれはじめる。抽象的な力の動きに具象的な意味をもつイメージが被さっているために、内部に包み込まれた抽象的な力の影響によって、具象的イメージはフランシス・ベーコン風な歪《ゆが》みを受けている。

③第三群

第二群のイメージ同士が、おたがいのしめす差異によって対立しあうことによって、言語的な意味を発生させるようになる。具体的な世界に見られる諸物とイメージが、結びつけられやすくなるために、イメージの内部空間でくりひろげられている流動的知性の運動は、ほとんど知覚できなくなる。このグループのイメージは、みずから進んで意味システムに組み込まれていくことによって、言語の影響力をもっとも受けやすい。「これはバイソンを描いたものです」というような説明が可能になってくるけれども、そこからはバイソンという動物の内面で動いている魔術的生命への直観的理解への通路は、閉ざされていく傾向にある。

これらの「第一群」「第二群」「第三群」のイメージが、層状に積み重ねられて、あるいは空間に分散配置されて、洞窟壁画の世界はつくられています。表面に近い層では、言語的コミュニケーションが比較的しやすいイメージ群が全体を覆っているように見えますが、その直下には非言語的・非表象的な別のイメージ群が、活発な働きをおこなっています。この構成をとらえて、私たちは旧石器の洞窟壁画の本質を、「フィギュール」として理解しようとしたのです。

＊

美学で言うところのフィギュールは、言語コミュニケーションを邪魔したり、歪めたりする力をもっています。そのことを、美学者リオタールの書いた『ディスクール、フィギュール』に引かれた「判じ絵」を例にとって、説明してみましょう。

「判じ絵」は「理解し難い絵」という意味でしょう。

J.F. Lyotard, *Discours, Figure*, Klincksieck,1971

私たちは目の前にあらわれたこういうイメージを、ごく普通には第三群のイメージに属するものとして、気軽な気持ちで解読に取りかかるでしょう。漫画はとうぜん何かの意味を伝えようとしている、と思いこんでいますから、それをディスクールとして意味を読み取ろうとするわけです。ところが、その絵にはいくつもの障害物がセットしてあって、なかなかちゃんとした「文」を構成できないのです。

この「判じ絵」はなかなか手の込んだ高級なもので、解読にはいくつもの回り道が必要ですが、つぎのように読みます。上の絵で、人の格好をした男（この男の体はフランス語の関係代名詞quiでできている）が、旧約聖書のエヴァèveをハンマーで叩いています。するとエヴァの体は、ガラスでできたコップのように、粉々になります。この絵の「心」をあらわすのが下の絵で、意味は「コップを割った者は弁償するqui casse les verres les paie」というよく知られた格言になります。コップverresを二つに割るとV/erresに分かれますが、そのとき「コップを割るcasse les verres」は「エヴァを割るcasse l'ève」になり、残ったerresはRという人の名前をしめす固有名詞になります。たしかに、下の絵ではR氏が割ってしまったコップの請求書を手渡されているでしょう。それにしても、なんとも不気味な趣向です。

この例のように、一般に「判じ絵」には独特に不気味なムードが漂っているものですが、それはその絵が一種のフィギュールとして、表象システムの表面に非表象的・非コミュニケーション的なイメージ層の働きを、横断的に浮上させてしまっているからです。コミュニケーション性を重視する実用的なイメージ使用では、「文」としての読み取りを第一義に考えますから、イメージの第一群や第二群につながる働きは、表面に浮上してこないように抑圧されています。ところがフィギュールでは、表面的な「文」の統一を壊すことによって、流動的知性に直結するこれらのイメージ作用を、巧みに意識の表面に浮かび上がらせてしまいます。

このフィギュールという美学概念をさらに拡大深化させていくと、いろいろと興味深い問題が見えてきます。フィギュールは層状をした表現物の内部を、垂直方向に横断して、言語的な意味作用を離れた無意識の領域に、通路を開いていこうとしています。その無意識は、フロイトの「一次プロセス」やガタリの「機械状無意識」や私たちの「対称性無意識」などと、重なり合っています。視覚的イメージはほんらい、このようなフィギュールとしての層状のなりたちとしてつくられていますから、心の内部空間を動かす流動的知性にまで（物質的な神経組織をなかだちにして）直結していく、横断性がはらまれていることになります。

そのことが、ホモサピエンスである人類が洞窟の中で最初におこなった、宗教的・芸術的な表現活動に、はっきりとしめされていることを、私たちはこの講義の中で確認してきました。そして、二十世紀になってようやく発明された映画において、このとてつもなく古い起源をもつフィギュールの精神が、驚くべきよみがえりをとげていたことも、見届けてきました。映画はまぎれもなく、近代に復活した「洞窟的実践」の一形態にほかなりません。

多くのすぐれた映画作品をとおして、私たちは映画というメディアが、層状になったいくつものイメージ群を縦横無尽に横断していく能力を発揮することで、それを見ている人々の心のうちに、映画に実現されているのとよく似た横断的な動きを発生させ、深いレベルに眠っていた記憶や情緒を力強く揺り動かす力をもっていることを、実感させられてきました。映画は情報ではありません。また映画の画面は一人で見つめなければなりませんから、ほかの人たちとの社会的コミュニケーションをその場で発生させたりもしませんが、そのかわり、日頃は表面にあらわれてこない無意識との、自分の内部でのコミュニケーションを開く力があります。

「洞窟的なるもの」は、ふつうの意味での社会的なコミュニケーションを開くものではありませんが、あえて言えば、宇宙的なものとのコミュニケーションを開こうとしているのです。私たちの社会では、こういう洞窟性をもった機構がつぎつぎと閉鎖されていく傾向にありますが、そこにあって映画は数少ない洞窟的メディアとして、生き残っているのだと言えるでしょう。

ところがテレビの場合には、映画的フィギュールが働きだすはずの基底材の部分が、最初から時間性の論理によって「コード化」されているという、パラドックスを抱え込んでいます。そこでは、あらかじめイメージに走査（スキャニング）がほどこされていることによって、基底材に時間的秩序がセットしてあるために、たとえて言えば、光の差し込む屋内につくられた疑似洞窟の中で、テレビ的イメージは活動しているということになります（この様子は、新石器的な都市の発生を告げるチャタル・ヒュユク遺跡などの家屋内に設置された動物神の像を、思い起こさせてくれます）。

この意味では、テレビの画像は映画の画像よりも、より「啓蒙化」が進んでいると言うことができるかも知れません。洞窟の外に出ようとしたイメージが、テレビという装置を求めたのです。それによって、テレビは映画とは根本的な違いをもった、イメージの組織体を生み出すことができましたが、その見返りとして、洞窟的メディアである映画に秘められた潜在能力の多くを失ったことも、また事実でした。テレビを生み出したのはコミュニケーションへの強い欲望だったのですから、これは当然のこととも言えます。

4　フィギュールの社会学

問題を別の角度からとらえ直してみましょう。

ラスコーやショーベなどの深い洞窟内に、あのようなすばらしい壁画を残したのがどういう集団であったかについて、考古学者や人類学者の中には、かなりはっきりした見通しを立てている人たちがいます。彼らの考えによれば、男性のみで構成された結社《アソシエーション》＝組合が、最初の芸術創造をおこなった主体であったと考えることができます。たしかに洞窟内で特殊な儀式をおこなっていたのが、男性のみの特殊な結社であったと考えると、考古学と人類学の知識の間にちぐはぐなことが起こりにくいという点から見ても、この仮説はかなり有力であろうと思います。

新石器文化がつくりだした儀礼結社から、近代の過激な政治結社（フリーメーソン、炭焼党《カルボナリ》、ボリシェビキなど）にいたるまで、男性が中心になって形成された結社には、多くの共通する特徴を見いだすことができますが、その仮説によれば、こういう男性結社の原理はすでに、旧石器のホモサピエンスによって発見されていたことが、考えられます。人類の生み出した社会組織の中で、もっとも古く、もっとも強靭《きょうじん》な生命力を保ってきたのが、この結社なのではないでしょうか。そして、それは映画と同じく、深遠な「洞窟性」をそなえています。

結社の原理は社会学的にも面白いものですが、宗教の発生と芸術創造の謎に迫る上でも、大変に重要な問題を含んでいます。結社はいろいろと複雑な要素をはらんではいますが、その中からもっとも重要な「洞窟性」の特徴を引き出せば、つぎのようになるでしょう。

①脱テリトリー化
②抽象化
③新しい主体の生み出し

ひとつひとつの特徴について、もう少し詳しく説明していきましょう。

①脱テリトリー化

結社に入るためには、人はいったんいままで所属していた社会集団から離れなければなりません。生まれながらの地位も権利も、そのあと手にしたすべての社会的所属に関わるものも、いったんはいっさいそぎ落として、ほかのすべての成員と平等な一個の主体に戻った上でなければ、結社員になることはできない、というのが、多くの結社に共通する条件でした。古い自分が所属していたテリトリーから離脱して、新しい自分に生まれ変わって、より拡大された集団意識の中で、新しい位置を獲得していくのです。

これには、意識の脱テリトリー化が伴います。結社員と認められる以前の「私」は、イニシエーションをまだ受けていない「子供」として、家庭や子供の集団の中で、日常世界に適応できるような意識を形成してきました。そこでは「私」の心は、狭い日常世界の常識に所属させられていた（テリトリー化されていた）、と言うことができます。結社では「子供」のテリトリー化された心を自由にする、さまざまな試みがなされます。

それまで家庭内で親や兄弟や仲間からすり込まれてきた常識の数々が、結社の先輩たちによって否定されて、常識が相対化されてしまう事態まで起こります。日常世界で「偉い」と思われてきた人や物が、超越的な価値の前で、平等な存在に引きずり下ろされてしまいますし、間違いのない常識として教え込まれてきた考えが、矛盾をはらんだ小さな考えにすぎなかったと暴露されたりもします。こうして思考の脱テリトリー化が実行されるわけです。

そうして心の準備を整えた結社員は、洞窟や森の奥に入っていきます。そこでさらなる心の脱テリトリー化の実践に取り組むことになります。私たちの心は層状をなしていて、普段は言語の構造によって強い規制を受ける層に焦点を合わせて、日常生活をおくっていますが、洞窟的結社ではさまざまな手段を使って、言語的な層からの横断的な脱出が試みられることになります。心に強い制限づけを加えている層の底壁を突破して、流動的知性の自由な活動に触れる内部空間への横断が、敢行されるのです。さまざまな「アースダイバー型神話」やシャーマニズム技術がめざしているのは、そうした横断的ダイビングにほかなりません。

洞窟や深い森の奥は、こうした心の脱テリトリー化がおこなわれるのに、最適の場所を与えてくれました。深い洞窟内には、自然に心の内部空間からの発光現象（内部光学entoptic）の起こりやすい環境が整えられていますし、森の植物の中には、心の層状組織を流動化させやすくする効果をもった「神々の植物」も自生しています。単調なドラム音を効かせた音楽なども、同じような効果を生み出していたはずです。

②抽象化

結社の内部では、外の社会で人に所属していた、さまざまな特性が剝奪され、すべての成員がいわばいったん「特性のない男」とならなければなりません。その上で、自分と同じように具体的な個人の特性をなくしたほかのすべての成員とともに、抽象的な強度の空間に入り込んでいくのです。

すべての個体を、連続した強度空間が、ひとつに包み込んでいます。その強度の空間の中で、結社に属するみんなが一体となって、ひとつの合唱や舞踏がくりひろげられます。

強度の空間は波を打って動き、変化しながら、「歌う空間」「踊る空間」に変容をとげていきますが、その全体運動を生み出しているのは、あの「特性をなくした男」たちです。一人一人の生命が、全体運動の中でそれぞれの場所を得て、波うつような旋律とリズムを奏でるのです。しかもその全体運動はのっぺりとしたモノフォニーを歌い出すのではなく、音程やリズムが複雑な綾織をなしていくようなポリフォニーをつくりだしています。ここから魅力的なアイディアが浮かび上がってきます。ひょっとしたら、人類が最初におこなった音楽は、ポリフォニーの音楽だったのではないでしょうか。

結社《アソシエーション》＝組合の成員は、外の社会での属性を失っていますから、結社の内部に秩序を打ち立てられるのは、もっとも抽象的な原理である「数」をおいて、ほかにはありません。じっさい多くの男性結社の組織原理は、「数」によっています。年齢や結社員になってから過ごした時間「数」によって、長老と若者を軸とする構造を組織しています。

それだけではありません。洞窟の中では、「数」は一種の抽象原理にまで高められて、そこで展開される哲学的思考に大きな影響を与えました。たしかに日常の生活も、数えたり、面積や体積を計ったりするのに、「数」は大切な働きをしています。しかし、それはあくまでも実用のための道具であって、洞窟内の思考のように、それを宇宙のすべてを律する抽象的な原理にまで高めようとする哲学的情熱は、日常生活の中ではなかなか生まれにくかったのではないかと想像されます。

私は、ピタゴラスのことを考えています。ピタゴラスは若い頃に、当時の神秘主義宗教であるエレウシウスの祭儀から、大きな感化を受けていたと言われていますが、このエレウシウスこそギリシャ世界に残った、旧石器以来の洞窟的宗教の最後の生き残りでした。ピタゴラスはのちに自分の教団を組織しましたが、その教団組織はあきらかに結社《アソシエーション》＝組合にもとづいてつくられていましたし、それ以上に、ピタゴラスは「数」という抽象的なものこそが、音楽と数学を貫いて、宇宙を律している根本の原理だと考えています。

ピタゴラスはあきらかに洞窟型の思想家でした。洞窟型の実践は、音楽の発生を促し、「数」をめぐる抽象的な思考である代数学を発生させました。ふつうの数学史の理解とは違って、私は算術から代数学への進展に、洞窟型原理の潜在ということを考えています。日常生活の現場からは幾何学が生まれましたが（幾何学が発達したメソポタミアやエジプトでは、土地の測量術から幾何学が生まれた、と言われています）、代数学のような思考は、洞窟型の抽象思考からしか生まれ得ないのではないでしょうか。そして、数学の才能はしばしば音楽の才能と、一人の人間の中で共存しています。バイオリンを演奏するアインシュタインのうちに、私たちは心の内部空間に開かれる深い洞窟の存在を思わざるを得ません。

③新しい主体の生み出し

洞窟型のイニシエーションでは、古い個体は「死んで」、強度の海からの新しい主体としてのよみがえりを果たそうとするストーリーが上演されます。社会の中での位置づけやその中で常識とされていた考えが否定されて、結社員のすべてが、いったんは抽象的な強度の場に融け込んでいくのですが、その海を思わせる強度の連続体から、新しい個体として、生まれ変わった主体として、再登場してくるのです。

この新しい主体と古い個体とのいちばん大きな違いは、生まれ変わった主体が宇宙的な力の場との確かな通路を自分の内部にセットしてある、という点にあります。生まれ落ちたときから自分を取り巻いていた社会は、言語をつうじて他の人々とのコミュニケーションを開いてくれますが、そのかわりに、社会的に意味づけられた社会にその人の意識を拘束してしまう力をもっています。脱テリトリー化の実践をつうじてその拘束から解き放たれた主体は、いわば「特性」を失って、宇宙的な強度空間へ融け込み、そことの通路を保ったまま、あらためて言語的な原理を自分のものとして、受け入れていきます。

新しい主体は「フィギュール」として、生まれ変わるのだ、と言いかえることもできるでしょう。フィギュールと呼ばれる美学的対象は、自分の内部に流動的知性につながっている無意識への通路を保ったまま、意味表現の世界に立ち上がってくる、特異な表現です。フィギュールは意味を破壊したりするのではなく、意味表現をそれが生まれてくる根源の場所である無意識という強度の場から、新しくよみがえらせようとしています。

このようなフィギュールの原理が、社会的な構成の場では、結社《アソシエーション》=組合として表現されるわけです。
じっさい美学で言う「フィギュール」は、洞窟的結社にそなわった①②③の三つの条件すべてを満たした表現となっています。フィギュールは、社会的慣習によって狭い意味内容に閉じ込められていた意味表現を、自由に解き放とうとします。意味内容からの脱テリトリー化が図られるのです。そのために、フィギュールは自分の身体にたくさんの穴を穿ち（フラクタル化をおこない、と言うこともできるでしょう）、そこから固定層を突き破って横断的な力が、流動的知性が表面へ向かって浮上してくる状態をつくりだします。流動的知性は、異なる意味領域を自由に横断する能力をもっています。それはどの領域やジャンルにも所属しない、抽象的な力なのです。そしてその抽象的な力の中から、いままで存在しなかった新しい意味が立ちあらわれてくるのを、フィギュールは手助けしようとしています。お気づきのように、フィギュールと詩的であることとは、ほとんど同義なのです。

こうして、洞窟的結社の実践が、何重もの意味で「フィギュール」的であることが確認された、と言っていいでしょう。フィギュールは、ふつうの意味での社会的コミュニケーションをめざすものではありません。それは宇宙的な力に自分を開いていく、という意味で、より大きく深いコミュニケーションをめざしていく実践なのではありますが、そのことが社会の側からみると、自分たちをなりたたせているコミュニケーションを、さまざまなやり方で妨害しているように見えるのです。旧石器のホモサピエンスの間ですでに発明され、今日にいたるまで長い生命力を保ち続けている結社という形式は、自分自身が社会組織におけるフィギュールに変容していこうとしてきたのでした。

社会をフィギュール化すると、自動的にそれは結社《アソシエーション》＝組合に変化します。結社＝組合は、宇宙的コミュニケーションを求めて、社会的コミュニケーションを制限ないし停止させます。その結果、結社には①②③という三つの特徴があらわれ、その結社が生み出す芸術＝宗教実践には、まぎれもないフィギュールとしての特徴が、はっきりあらわれてくるようになります。

旧石器の洞窟壁面に描かれたイメージ群は、それを描いたホモサピエンスの集団と同じ「フィギュール」の原理を潜在させています。洞窟壁画は結社によって描かれた、結社構造をした絵画と言っていいでしょう。そのため、洞窟壁画を記号学的に解読しようとしても、かならず失敗してしまうのです。それは横断的な表現の運動をはらんだフィギュールとして、読み解かれなければなりません。

同じことが、映画についても言えるでしょう。映画は洞窟的芸術なのですから、どうしても記号学的解読を受け付けないところがあります。映画のイメージは、横断的なフィギュールとしてとらえなければなりません。ジル・ドゥルーズが『シネマ』においてあきらかにしようとしたのも、じつはそのことであったような気がします。

5　洞窟の映画／テラスのテレビ

ここまでくると、最初に私たちが立てた仮説を、つぎのように表現することができます。ホモサピエンスの脳のニューロン構造に革命的な変化がおこり、人類の「心」がかたちづくられて以来、人類の脳構造には本質的な変化がおこっていないのですから、とうぜんその脳をなかだちとして活動する「心」のトポロジーにも、本質的な変化はおこっていないはずだ、と考えることができます。

そのホモサピエンスは最初から、洞窟を精神活動にとっての重要な場所として選び出し、そこでさまざまな宗教祭儀や芸術表現がおこなわれました。そのとき洞窟の内部を舞台にしておこなわれたさまざまな活動は、現代の芸術美学が「フィギュール」という概念で取り出してきたものと、まったく同じ特徴をそなえています。地球に出現して以来少しも変化しなかった人類の「心」のトポロジーには、「フィギュール＝洞窟」的活動を生み出す特異な構造が存在しているのは、間違いないでしょう。

私たちは「映画としての宗教」の探究をつうじて、映画が多くの点で、この「フィギュール＝洞窟」的なイメージの活動であることを見てきました。映画は生まれてからまだわずか百年ほどの短い歴史しかもっていませんが、それが生まれる以前の「前史」はおそろしく長く、いずれ映画メディアを生み出すことになる「心」のトポロジー特異構造は、その間数万年もの間、退化することも進化することもなく、営々とフィギュールの生産にいそしんできたのでした。

ところが映画が開発されて間もない頃、映画にはテレビという強力なライバルが出現していたのです。テレビは遠距離通信のメディアとして、その開発には映画よりも長い年月を要しました。テレビには、映画が直接には必要としない電波技術の発達が、不可欠だったからです。映画とテレビの間には、多くの共通点と、それを上回る相違点とがあります。映画が典型的な「フィギュール＝洞窟」的メディアとして、非コミュニケーション的な表現を本質としているのにたいして、写真電送の技術から直接発達してきたテレビは、コミュニケーション性を本質としています。このことはハード面にもあらわれていて、テレビ的イメージの基底材の部分は、時間論理による強力な「コード化」がほどこされていて、コミュニケーションの道具としての好条件を、あらかじめセットしてあります。

映画の誕生とほぼ並行して進んだテレビの発達史を見てみますと、映画を生み出した「心」のトポロジーの洞窟的構造のすぐそばに、それとよく似ているけれども本質的な違いをもっている別のタイプの特異構造が存在しているのではないか、と私たちは考えたのでした。それをかりに「心」の「テレビ的構造」と呼ぶことにすると、その「テレビ的構造」もまた、人類の

「心」の普遍的構造のひとつなのではないか、つまり、テレビが出現するはるか以前から、人類の「心」にはすでにテレビ的なるものが存在し、じっさいになにかをつくりだす活動をおこなっていたのではないか、こういうことを、私たちは最初に仮説として立てたのでした。

映画的構造	フィギュール	洞窟	男性	結社《アソシエーション》=組合
テレビ的構造	コミュニケーション	(x)	(x)	(x)

かつての人類の社会で、結社《アソシエーション》=組合に対立した組織をもち、洞窟内で見いだされるものとは異質なイメージ活動がおこなわれていた場所を、探り出す必要があります。じつは、そういう場所はすぐに見つかります。

結社は自分だけで生き延びていくことのできる、自律的な社会組織ではありません。だいいちそれは、おもにイニシエーションを受けた男性だけが構成し、女性と子供をその外に排除していますから、生物的な持続ができません。結社には母体となった別の社会組織がなければなりません。それはほかでもない、男だけではなく女性も子供も含み、生物的にも持続性をそなえた社会組織、すなわち「家族」の共同体にほかなりません。

旧石器の社会で、結社《アソシエーション》=組合と家族《ファミリー》とは、空間的に分離された場所で、それぞれの活動をおこなっていました。左の地図をごらんください。

この地図は、有名なラスコー洞窟を中心とした、中部フランスの重要な考古学的スポットの位置関係をしめしているものですが、洞窟とシェルターの場所をちがう記号でしめしてみました。ここで「シェルター」と呼んでいるのは、崖の中腹などにできた日当たりのよいテラスのことをさしています。そこは大きな岩の庇《ひさし》がシェルターになって張り出しているために、雨にも濡れることなく、他の動物にも襲われにくい場所になっています。このテラスが、当時の家族生活の場所になっていました。

ふだんは祖父も父親も成人した（イニシエーションを受けた）男の兄弟たちも、祖母や母親や姉妹や子供たちといっしょに、このテラスを中心に日常生活を過ごしていたようです。昼間、男たちはテラスから見下ろせる渓流沿いの森に狩猟に出かけていきました。そ

ラスコー洞窟付近の洞窟とシェルターの分布図

の間、女性たちは近くの森で果実や根菜や野草の採集をしたり、籠などを編む手芸の仕事にいそしみながら、子育てもおこなっていました。狩りから戻った男たちを交えての食事も、このテラス空間でおこなわれていました。そこは日当たりもよく、乾燥して、とても気持ちのよい空間でした。

夜になると、たき火を囲んでの団欒《だんらん》の時間が過ごされていました。子供たちには、話の上手な老人などが、あまり秘密性の高くない神話や動物を主人公とするお話を、語ってきかせていたことでしょう。昔おこった出来事やその日におこった出来事が、じっさいにそれを体験したという男たちによって語られることもありましたが、その場合、語られる話は神話の語りの影響を強く受けて、ファンタジーに色濃く染め上げられていました。

成人した男たちは、ときどき何日間もどこかへ出かけて帰ってこないことがあります。子供たちが、おじいさんやお父さんやお兄さんたちは、どこへ行ったのと聞いても、母親も祖母もしらんぷりをします。子供の発するその問いには、誰もが口を閉ざして答えてくれないのです。いままでは自分たちといっしょになって遊んでいたお兄さんが、今年からその数日間姿を消してしまうことがあり、弟たちがあとになって事情をたずねても、急に大人びたようになって戻ってきたお兄さんは、「そんな質問をしてはいけない」と言ったきり、何も答えてくれません。

成人した男やこれからはじめてイニシエーションを受ける若い男たちは、家族をテラスに残して、女や子供に見つからないように警戒しながら、三々五々に森の中の特別な場所に集まってきます。そこにはめったなことでは見つからないように、草や枝でおおって見えなくした洞窟への入り口があり、物音を立てないようにしながら、一同は緊張して、洞窟の中に入っていくのでした。洞窟の中でおこなわれることの一切が、イニシエーションを受けていない女性や子供には、秘密とされました。洞窟の中では、家族を中心とする共同体の組織はいったん解体されて、それとはまったく異なる結社《アソシエーション》＝組合《ショーション》が形成されるようになりますが、その結社内で見たこと聞いたことを家族にしゃべることは、死の代償を要求されるほど、厳しく禁じられていました。

しかし、ここで重要なのは、テラスでの家族共同体の暮らしです。そこには、私たちが今日「日常生活」と呼んでいるものの、ほとんどすべての要素がそろっていたはずです。日常生活の現場で必要なのは、流動的知性が縦横に活動するテンションの高い「聖なる時間」とは異なって、落ち着いた変化の少ない暮らしぶりです。つまり、そこではフィギュール的なものの活動は最小限に抑えられ、かわって言語のコミュニケーション機能が、前面に出てきていたことが、考えられます。

そのことは、新石器型文化の特徴を残すいわゆる「未開社会」での人類学の調査からもあきらかです。たとえばそういう社会では、人が死んだときとか、お祭りのときとかのような特別な「聖なる時間」を除いては、謎々のような言葉遊びをすることが、禁じられていました。

謎々では、共通の音価によって異なる意味場が一瞬にして結び合うという事態がおこってしまいますが、それこそはフィギュールの典型的な仕業であるとして、日常生活の場からは、慎重に遠ざけられていたのです。フィギュールではなくディスクールを。これがかつての人間の日常生活における大原則でした。

テラスでの日常生活の場には、イニシエーションを終えた男たちも、イニシエーションを受けて結社員となることが許されていない女や子供たちも、いっしょに暮らしていました。洞窟内で使われていたような「神聖言語」の、テラスでの使用は禁じられており、言葉や身体のフィギュール的活動は極力抑えられて、もっぱらそれらを記号学的に使用することが求められました。

そのテラスで、洞窟内のものとは本質的に異なる、イメージ造形の活動がおこなわれていたことが、知られています。ラスコー洞窟から数マイルと離れていないローセル村の裏手の山の中腹にあるテラスの遺跡で発見された「ローセルのヴィーナス」と呼ばれている像が、それです。豊かな乳房とふっくらとした腰をもち、ふくらんだ腹部にはそっと左手がそえられ、右手にはバイソンの角が握られています。この角には、月齢をあらわすと推測される、十三本の刻み目が入っています。

ローセルでの発見以後、その近くに点在する遺跡から、つぎつぎとよく似た女性像がみつかるようになりました。どれもなかなかになまめかしい像ばかりで、洞窟の奥に描かれた壁画から感じる、ある種の厳《いか》めしさとは対照的なところをもっています。女性像はいずれも燦々《さんさん》と陽光の降り注ぐテラスや、光線が届くほどに浅い洞窟の壁面で見つかっています。そこはあきらかに日常生活がくりひろげられていた空間で、厳重な秘密に包まれて結社の男たちが祭儀をおこなっていた深い洞窟の奥とは、空気の張りつめ方も違っています。

　動物やシャーマンの姿を描いてある洞窟の壁画と、これらのテラスの女性像との間には、もちろん共通性もあります。どちらも「生命の誕生」に関わる、人類初期の思想をあらわしているように思われるからです。洞窟の奥の壁画には、たくさんの動物の姿が描かれていますが、どれも妊娠や出産の具体的な場面を扱おうとはしていません。「生命の誕生」という出来事の本質を抽象化してとらえようとしています。前にもお話ししましたように、そこに壁画を残した男性結社の人々は、「生命の誕生」の主題を、非物体的な力が存在の諸層を横断しながら物体的なものを生み出していく全体的なプロセスとして、抽象的に思考しようとしています。別の言い方をしてみますと、その主題をひとつの「概念」として、理解しようとしているのだと思えます。

ローセルのヴィーナス
Joseph Campbell, *Historical Atlas of World Mythology*, vol.1, Alfred van der Marck Editions, 1983

結社《アソシエーション》＝組合《アソシエーション》は現実生活を否定する面をもっています。現実の生活の場面では、人々を結ぶ共同体のきずなが、具体的なかたちでもっとも大きな影響力をもっているはずですが、結社がかたちづくられる過程で、共同体原理はいったん解体されています。これを結社＝組合は現実を排除する、と言いかえることもできるでしょう。

＊

共同体をつくりあげている最大の現実物と言えば、それは「現実に」生む能力をそなえた女性であり、その女性が生んだ子供たちでありましょう。結社＝組合はその女性と子供を自分の外に、現実的に排除してつくられるわけですから、その原理を一貫させるためには、洞窟内でおこなわれる宗教的な行為からも、芸術的な表現からも、現実物は排除され抽象化された上で、思想イデアに組み立てられ直すのでなければなりません。

ところが、家族と共同体は、そのような結社＝組合を否定するのです。男たちの結社が打ち込んでいるような観念的な思考を否定する、と言ってもいいかと思います。つまりここには、洞窟と結びついた思想（プラトンは「洞窟のイデア」について語ることで、こういう先史学的な思考法に触れていたのだと思います）を否定する、「生活者の思想」なるものの誕生がしるされていることになります。「生活者」は思想イデアによって現実を否定しようとはしません。むしろそれは、現実の生活に裏打ちされていない、抽象的な思想イデアを否定しようとするのです。

このように、考古学的事実は、ホモサピエンスの思考のごく初期から、すでに「洞窟的な思想イデア」と「生活者の思想」の対立が発生していたことを示唆しています。もちろん対立と言っても、おたがいがおたがいを補い合う「相補的対立」として、相手の存在を前提とするような対立関係です。家族共同体に根ざした「生活者の思想」だけでは、人類の「心」に出現した「超越的なもの」について思考することができません。それができなければ、人類は自分の本質を知ることさえできないでしょう。

しかし、結社＝組合に支えられた「洞窟的な思想イデア」だけでは、社会は持続していくことができません。たしかに人類の脳には、生物的な限定づけから自由になった「心」が発生したのですが、脳そのものは生物的なプロセスをとおして生まれたという意味で、頭蓋骨の中に生きる「もうひとつの自然」にほかならないからです。ですから、ふたつの「思想」はたがいを補い合うような関係になければなりません。

このような目で、もう一度テラスにつくり残された「ヴィーナス」たちの像を、洞窟の奥に描かれた動物の像と比較しながら、ながめてみましょう。女性像はいずれも、女性の裸体をきわめて具体的に表現しています。多少の誇張が含まれているとすると、それは女性のもつ「豊穣性」の概念に触れている部分の表現に限られています。豊かな乳房、ふっくらした腰つき、ふくらんだお腹などが、それをあらわしています。重要なのは右手に握られたバイソンの角です。これはのちのちまでも「コルヌコピア（豊穣の角）」として知られることになる表現で、「汲めども尽きない富を生む容器」をあらわしています。

この角は、女性の生む力を象徴している、と考えることができます。つまり、子宮の象徴にほかなりません。マトリックス（子宮）がこのような形で象徴化されることにより、生む力をもったものが、そのままひとつの知的に把握可能な記号物につくりかえられています。女性の体にたしかに実在している器官が、生む力そのものをあらわすことになります。

ところが、洞窟内の結社的思考では、別のことを考えようとしています。ここでは、生む力もなにかが生まれるという現象そのものも、知的に把握可能な対象物をとおしては、思考されていません。マトリックスの考えが入っているとしても、それは女性の体に局在化できるようなものではなく、どのようにしても全体像を把握することなどは不可能な、巨大な洞窟がそれなのです。結社員にとって、洞窟は巨大な鯨の胎内のようなもので、それは数学の無限記号のように、じっさいには知的把握が不可能な対象です。

なにかが生まれる現象を思考するときにも、結社的思考では、「見えない強度」の考えが前面にあらわれています。その力は精霊として考えられることはあっても、存在の諸層を横断していくプロセスそのものとして、対象物になりません。動物像はこの横断的プロセスの切断面にほかなりません。おそらく旧石器の芸術家たちにとって、動物を表象した絵を描くことが重要なのではなく、壁面に平面の動物を描くことによって、精霊力の実現している全体的な横断プロセスに、結社の人々の思考を向かわせることのほうが、ずっと重要だったのではないか、と思われます。

テラスの「ヴィーナス」像は、宇宙的な横断的プロセスを女性の体で象徴化することによって、表現の深い部分に記号学的な還元をほどこしているのだと思います。これによって、ほんらい底無しの横断的プロセスには、確実な現実世界での「底」が発生します。ところが、洞窟内に集まった結社員の思考では、全体として動いている宇宙的なプロセスを、なにかの記号や象徴に還元しようとする動きは感じられません。真っ暗な闇の奥で、彼らはいわば「底無し」の無限に触れようとしていたのだと言えるでしょう。

日常生活の場であるテラスの思考は、無限への穴を閉じる「底」をつくりだすコード化を特徴としています。コミュニケーションの現場で、ディスクールをフィギュール化させてしまう恐れのある表現では、表現素材のそこここに開いた穴をとおして、無意識が流入してきてしまう事態がおこっています。このようなフィギュール化を阻止するためにも、コミュニケーションの場であるテラスの生活では、表現素材にしっかりとした「底」をつくるためのコード化をおこなうのです。

そのために、テラスの岩壁に彫り込まれた女性像には、どれも死の影をあまり感じません。このことは洞窟壁画の場合と、まったく対照的です。洞窟の壁に描かれた画には、血を流し呼吸も荒い瀕死の状態のバイソンの姿や、トランスに陥って仮死状態のシャーマンの姿や、槍で突き刺されたような無残な傷跡を残す動物像などが、つぎからつぎへとあらわれ、そこが濃密な死の主題にみたされた空間であることをしめしています。

洞窟の祭儀にあっては、誕生や生命の主題は、つねに強烈な死の主題と同居しあっています。ところが、テラスの芸術家にとって、死の主題はどこかに隔離されているかのようで、明るい生命の主題のほうに関心が集中している印象です。彼らはきっと生の底部に開いている穴を塞ぐことができたのでしょう。洞窟的芸術とテラス的芸術は、このような思想構造の違いを、あらわにしめしてみせるのです。

こうしてようやく、私たちの前に、テレビが発明されるはるか以前から存在し、いずれその場所にテレビが据えられることになる、「心」のトポロジーの中の「テレビ的構造」というものが、浮上してくることになりました。この「テレビ的構造」では、フィギュールの底部に、コミュニケーション・ツールとして使用されるために必要なコード化がほどこしてあります。そのおかげで、たとえ外見はフィギュール的ではあっても、じっさいには内部に無意識からの横断的プロセスが、自由に流入してこないようなフィルターが仕掛けてあります。そのおかげで、社会的コミュニケーションの回路は保たれたのでした。

＊

こうしてさきほどの図式（二九〇ページ）で、空欄として残しておいた部分が、つぎのように埋められることになります。

じっさい、テラスのアトリエで制作されたイメージ群は、映画のイメージと本質的な違いをもつテレビ的イメージと、きわめて多くの共通点をもっています。洞窟の奥で制作されたイ

テレビ的構造	映画的構造
コミュニケーション	フィギュール
具象的	抽象的
テラス	洞窟
女＋子供＋男	男性
女体	動物
生	生＋死
家族共同体《ファミリー》	結社＝組合《アソシエーション》

メージは、映画と同じように「ノワール」な主題に引きつけられていますが、テラスのアトリエでは、テレビと同じようにそういう主題はあまり好まれていないようです。テレビはスキャニングによって、あらかじめ無意識の働きを均質化する処理をイメージにほどこし、それによって「死の欲動」の侵入をコントロールしていますが、明るい陽光の下で仕事するテラスの芸術家たちも、女体の表現の中に横断的プロセスを封じ込めることによって、テラスの日常生活に「死の欲動」が入り込んでこない配慮をめぐらせているように感じられます。

人類の「心」のトポロジーに、「テレビ的構造」は実在するのです。それは洞窟の奥深くで実践される「映画的構造」と相補的な対になって、イメージの運動と構造をつかさどっているのです。二つの構造の違いは微細です。それは、イメージの底部にコード化がほどこされているかいなかという小さな違いにすぎないのですから。しかし、その微細な違いから出発して、ついには結社＝組合と共同体の対立やそれぞれの空間的棲み分けにたどり着いていくような、誰の目にもあきらかな大局的《グローバル》な違いをつくりだしていきます。

＊

どうやらホモサピエンスの「心」には出現の初期から、すでに二つの異なる知識形態が共存していたようです。

一つは日常生活に必要とされる知識で、私たちはそれを仮に「テラス＝共同体＝テレビ的構造」と呼びました。そこでは具体的なこと、現実的なこと、常識的なことに大きな価値が与えられ、知識を無意識の侵入によって歪めないで伝達するコミュニケーションがなによりも重要だと考えられました。

もう一つの知識形態は「洞窟＝結社・組合《アソシエーション》＝映画的構造」であり、抽象的なこと、超越的なこと、超現実的なことに深い関心を注ぎ、人々の間に経済的なコミュニケーションを実現することよりも、流動的知性のおこなう横断的運動を直接的に表現するフィギュールのほうを、高く評価するのです。そのために前者の知識形態から見ると、どことなく価値転倒的な危険性もはらんでいます。

この二つの知識形態は、たしかに対立してはいますが、おたがいを補い合う関係にあるものとして、どちらか一方だけを重視して、他をないがしろにする、というようなことは、近代になるまでおこっていませんでした。たとえば洞窟的な知識形態は、日常生活を律している共同体の存在を認めていますが、それが自分たちに唯一可能な「正しい」社会形態だとは考えませんでした。そこで、日常生活とは別な場所に結社＝組合的な原理によってつくられる、共同体《コミュニティ》とは異質な「コミュニオン」をつくりだそうとしました。宗教的な儀礼のおこなわれる特別な時間だけに、共同体の外にコミュニオンの諸形態がつくられたのです。

コミュニオンでは人々は、社会を超える超越的な権威の前に、みんなが平等です。富の分配も平等で、少なくとも家柄や蓄積した富の量で、構成員の間に社会的格差が発生しないように、調整されていました。こういうコミュニオンを形成することで、多くの社会が自分たちの社会の抱える矛盾を解消しようとしていましたから、コミュニオンとコミュニティは共存していたのです。

ところが、コミュニオンが共同体に対する自分の「正しさ」を主張するようになるとき、この均衡は崩壊します。コミュニオンは超越者の権威をもって、共同体に戦いを挑むようになり、そこに宗教運動が発生するようになります。共同体からみれば、宗教的コミュニオンの言い分は、気が狂っているとしか思えません。なぜならコミュニオンは、ディスクールを介したコミュニケーションの抑圧性を揺るがそうとして、フィギュールで思考しようとするからです。「不条理ゆえに我信ず」。この初期キリスト教徒の言葉は、コミュニオンの精神のはらむ危険性を、みごとに表現しています。

しかし、結社＝組合的なコミュニオンの思想がいくら自分たちにとって危険だからと言って、共同体がそれを完全に否定してしまうと、それはそれで別の形の均衡崩壊をもたらしてしまうでしょう。共同体は原理から言っても、内部からどうしても不平等と格差を発生させてしまいますが、コミュニオン＝結社的な思想（「夢」と言ってもいいでしょう）を失っていては、偽善にすがるしか、みずからの抱える矛盾を乗り越えていく道は、閉ざされてしまいます。

ホモサピエンスの思考において、ごく初期のうちから、「テラス＝共同体＝テレビ的構造」と「洞窟＝結社・組合《アソシエーション》＝映画的構造」との共存が図られていたことのうちには、この知的生命の「心」にセットされた、深い哲学の働きを認めることができます。私たちの「心」には、いまもこの二つの構造を共存させるトポロジーが生き続けています。ただ、多くの人はそのことを忘れています。

6　ヴァラエティとしてのテレビ番組

さて、ここから問題にすべきは、「テラス＝テレビ的構造」がじっさいに何をつくりだしたかということです。テレビがこの数十年の歴史をとおして生み出してきた番組（プログラム）の中に、この構造がどのように生かされてきたか、という問題です。

テレビは写真電送の技術とラジオの技術を結びあわせてつくられたものですから、とうぜん最初のうちは、ラジオ番組からの大きな影響を受けていました。ラジオももともとはコミュニケーション・ツールとして開発されてきたもので、その点、テレビとは相性がよく、初期のテレビ会社はラジオ会社の一角に設けられることが多かったようです。

テレビ初期の番組は、ニュース、音楽、コメディ、ドラマ、探偵物、クイズ、スポーツ中継などのようにとりたてて変わったものはなかったのですが、一九五〇年代に入ってテレビ先進国であったアメリカで、テレビ独自の番組が続々とつくられるようになりました。その頃生まれた革新的な番組形式のいくつかは、その後のテレビにもそっくりそのまま踏襲され続けていて、その時代にほぼテレビ番組の進化の本質的なシーンは終わってしまったのでは、と思わせるほどです。

その中で、もっとも「テレビ的」であったのが、「ヴァラエティ」と呼ばれる番組形式でした。ヴァラエティは「ヴォードヴィル＝寄席」から発達してきたものです。おしゃべりの魅力的な司会者がいて、芸人たちをつぎつぎに舞台上に紹介してきて、持ち芸を演じてもらうというのがヴォードヴィルです。司会者のおしゃべりはウイットに富み、しかも良識的でなければなりません。

有名なエド・サリヴァンなどがその代表でしょう。『エド・サリヴァン・ショー』には当時売り出し中のエルヴィス・プレスリーも呼ばれて、歌って踊りました。ただし踊るエルヴィスの腰つきはあまりに猥褻《わいせつ》だという批判を浴びて、テレビ出演三回目以降の彼の姿は、腰から上しか映し出されませんでした。英国からやってきたビートルズも出演したことがあります。このとき人々ははじめて、ティーンエイジャー少女の嬌声にかき消されない、ビートルズのなまの歌声を聞くことができた、と言われています。家族共同体の規範が、エルヴィスやビートルズにさえ、ある種の良識を要求したのでした。のちの「ヒット・パレード」という音楽番組の形式はここから生まれていますが、それは常に、とかく洞窟的な本性に走りがちな音楽に対する、共同体の側からの検閲機構としての働きも果たしたのでした。

ヴァラエティは寄席の演芸を、テレビ向きにつくりかえたものです。この形式がテレビ番組の中でももっとも生命力の長い、人気のある形式として生き残ってきたのには、「テラス＝テレビ的構造」の本質に関わる重要な問題がひそんでいます。寄席の芸は、お笑いやパントマイムや腹話術や奇術の芸などで構成されます。空中ブランコやタイトロープを使うアクロバット芸や、熊や馬のような大型動物を使う芸は、寄席の空間では狭すぎるので、大きなテントを使って芸を上演するサーカスのほうに組み込まれていきましたが、これらの芸には総じてひとつの共通する性質があるようです。

このうちいちばん危なそうに見えるアクロバット芸は、危険な状況を自分でつくりだし、それを自分で引き受けてコントロールするというプロセスで、芸そのものができています。観客の目から見たら、生命を危険にさらす芸人たちが、英雄的な勇気と技量をもって危険な状況をくぐり抜けてみせるわけですから、ハラハラドキドキしたあとにうまくいったときには、満場から喝采がわきおこるでしょう。

しかし、この芸は何回でもくり返すことができるというところが問題です。芸人の生命を脅かすように思える危険はあらかじめ完全にコントロールされていますし、偶然の侵入によって芸の進行が破綻して、芸人が大怪我をするなどということもないように、偶然は可能なかぎり排除されています。芸人たちは死に接近するように見せかけているだけで、じっさいには死の危険はあらかじめコントロールされています。それを何度でもくり返すことができるわけですから、そこでは死への接近を再現可能な表象に変換してしまっていることになります。

寄席のヴォードヴィル芸では、そういう特徴がいっそう際立っています。サーカス芸の場合には、あらかじめコントロールされているとはいえ、失敗したら大事故を招く大きな危険が導入されます。ところが寄席でおこなわれる奇術では、導入される危険やアンバランスも小さなもので、失敗したとしてもほとんど生命の危険はありません。奇術は日常生活をなりたたせている規則を、ほんの少し変形してみせるだけですし（常識では「労働しないとモノの生産はおきない」と考えられていますが、これが帽子から鳩を取り出す芸では「労働なしでもモノは生産される」に変形される）、この世界の現実をつくりなしている自然の大魔術に比べれば、マジシャンの芸などは虚仮威《こけおど》しにすぎないかも知れません。

つまりテレビのヴァラエティ番組に芸人とその芸を供給している寄席演芸は、一次プロセス的な無意識の流入をコントロールした上で生産された、記号学的フィギュールにほかならないのです。記号学的フィギュールは横断的なプロセスにたいして「底」をふさいでいますから、死のリアリティや底無しの悲劇は、記号活動の内部に流れ込んでこないようになっています。私たちはこのような性質をもったヴァラエティが、「テラス＝テレビ的構造」ととても相性がよいことを、すでによく知っています。

＊

数学の分野では「ヴァラエティ」と言えば多様体のことをさしています（とくにフランスで）。多様体はいたるところで微分のできる図形でなければなりません。つまり、計測を不可能にしてしまう特異点のない、なめらかな図形です。テレビの構造は、この多様体とよくにています。テレビは死のリアリティや無意識が自由な流入をはじめてしまう特異点を除去した上で、コミュニケーションを開始しようとするのですから、まるで穴ぼこだらけ特異点だらけの映画的フィギュールとは、じつによい対照です。良識がこのなめらかな多様体の構造を支え、常識がそれを持続させるのです。

このことを、見事に表現した映画作品があります。フェデリコ・フェリーニの『道』です。ザンパーノは、くる日もくる日も、鎖を歯で食いちぎったり、体に巻き付けた鎖を筋力で切ってみせる「力持ち芸」を見せている、しがない大道芸人です。この芸をはじめて見る田舎の人たちや子供たちは、ザンパーノが信じられないような危険と闘っていることを信じて疑いません。しかし、ザンパーノ自身は、それがあらかじめすべての危険を想定内にコントロールしてある、見せ掛けの芸にすぎないことをよく知っていて、荒《すさ》んでいます。彼は宇宙に閉ざされた記号学的テクストを、何度も何度も上演しているうちに、生活にすっかり望みをなくしていました。

ザンパーノには芸人言葉で言う「ゼイニー zany＝補助の道化師」がいました。途中で拾ったジェルソミーナというちょっと足りない女の子です。ザンパーノはこの女の子を荒んだ気持ちを晴らすために、いじめにいじめぬいて、とうとう置き去りにしてしまうのですが、彼女を失ってみて、はじめて彼女への愛を思い知ることになります。しかし、そのときにはもう遅く、ジェルソミーナを永遠になくしたことを知ったザンパーノは深い悲しみに打ちのめされるのでした。

『道』©apollo-ns. com

この映画をとおして、フェリーニ監督は大道芸のような記号学的フィギュールを、底無しの映画的フィギュールで包み込む、という大胆な試みをおこなっています。記号学的フィギュールは、「死との戯れ」を何回でもくり返すことのできる閉じたテキストにつくったものです。ところが洞窟的なものにつながりをもつ映画的フィギュールでは、人はときとして後戻りができない、底無しの悲劇に飲み込まれることがあります。そのとき、テラス＝テレビ的なものと洞窟的＝映画的なものの対比は、それ以上ないほどに鮮明にあらわなものとなります。サーカス好きで知られたこの監督は、きっと演芸のもつ魅力と悲しみを、誰よりもよく知り抜いていたのでしょう。

＊

このジェルソミーナ的な「ゼイニー」が、しばらくして姿を変えてアメリカのテレビの「シットコム sitcom＝シチュエーション・コメディ」に登場してくることになります。ルシル・ボール、一九五〇年代から七〇年代にかけての二十年以上もの間、テレビ・ショーの代名詞ともなったあの『アイ・ラブ・ルーシー』（一九五一―五七）や『ルーシー・ショー』（一九六二―六八）、『陽気なルーシー』（一九六八―七四）のルーシーです。

ルシル・ボールの演芸においては、「テラス＝テレビ的構造」と古典的な道化芸が、まことに幸福な結婚をとげています。ルーシーは脇役的なゼイニーの立場にいて、いつも最後には笑いの中で全体状況を掌握してしまいます。堅苦しい男性的な価値観の支配する会社や工場にあらわれた賢いルーシーは、混乱を引き起こしてみんなが右往左往している間に、いつのまにか状況の中心におさまって、最後は全体を柔らかく開いた自由な状況につくりかえて終わるのです。

これはテラス的な価値観の理想をあらわしてはいないでしょうか。家族共同体の見かけ上

I Love Lucy
Barbara Moore et al., *Prime-Time Television*, Praeger, 2006

の「ボス」は父親的な男性に振りあてられた役割ですが、実質的な「陰の指揮官」が母親であり女性であるときに、もっとも円滑な運行をしめします。どんな種類のものであれ、共同体にはゼイニーであるルーシーが必要です。抽象的な女性性を芸術的に表現すると作品は生まれるでしょうが、ほんものの子供は生まれてきません。ところがテラスでは女性はそのまま具象的実在なのです。

　こういうルーシー的存在は、洞窟的な実践にはあらわれにくいのではないかと思います。そこでは、現実の女性性を排除したうえで、それをイメージや象徴へ変換する思考作業がおこなわれているからです。ところが、テレビはテラス的実践として、生身の女性があらわれて、大切な役目を果たしています。画面の中のルーシーはあきらかにルーシーの役を演じているのですが、彼女はそこにしばしば現実のルシル・ボールを混在させて、現実と虚構の区別を混乱させようとしたのです。まさにテレビ的実践です。

　テレビでは比較的早い時期から、現実と虚構の混在という、ポストモダン状況が先取りされています。たとえばそれまでのテレビでは、暴力シーンと並んで女性の妊娠を扱うことはタブーでした。ところがルシル・ボールは『アイ・ラブ・ルーシー』の放映中、ヒスパニックの夫との間に息子を出産しますが、このことをさっそく虚構のルーシーがシットコムの中で話題にして、全米の家族共同体《ファミリー》に衝撃を与えています。映画からは直接ポストモダンが発生することはないでしょう。ポストモダンとはじつのところ、テレビの別名なのではないでしょうか(Barbara Moore et al., *Prime-Time Television*, Praeger, 2006)。

女と子供と男が一体となってつくる家族共同体が、居間でテレビを見ているのですから、そこに強力な「テラス的構造」の規制が働くのはとうぜんでしょう。その規制は「洞窟的構造」をつくりあげている規制とは、本質的な違いをもっているために、宗教も芸術もじゅうぶんに資本主義化されていないかぎり、テレビの画面に登場することは困難です。映画でさえテレビに認められるためには、多くの自己規制が求められます。洞窟的なものに関わりのある表現は、一定の去勢を受けないかぎり、今日でもテレビにとっては危険な存在であり続けています。ここには共同体的なものと結社＝組合的なものとの間に存在し続ける、ホモサピエンス的矛盾のあらわれを見ることができます。

ここ数十年の間に、いったいどのようなものがテレビ番組の題材として認められてきたのかを探究するだけでも、私たちはホモサピエンスの「心」のトポロジーの一半を形成する「テラス＝テレビ的構造」についての、重要な情報を手に入れることができるでしょう。しかし、映画については優れた研究がすでに数多くあらわれているのに、テレビについては、マクルーハンの先駆的研究以後、そういう研究はまだほとんど手つかずのままに放置されているのが現実です。ところが世界はますますテラス化しテレビ化しつつあるのですから、これを放置しておくという手はないでしょう。映画のような知的興奮を誘う対象ではないかも知れませんが、たしかにそれは取り組むに値する研究です。

エピローグ

哲学の洞窟とテラス

「洞窟＝映画的構造」と「テラス＝テレビ的構造」という二つの相関的概念は、ほかの領域の現実にたいしてもフレキシブルな汎用性をもっています。哲学がそのよい例です。

いまから十数年前にフランスの哲学者ジル・ドゥルーズとドイツの哲学者ユルゲン・ハバーマスの間で、暗黙裡の哲学上の対決がおこりました。ハバーマスはフランクフルト学派の後継者らしく、哲学を「コミュニケーション的行為」としてとらえ、その思考を表現するためのディスクールは、コミュニケーションにふさわしい形をもたなければならない、と主張しました。ハバーマスの目から見ると、七〇年代に入ってから絶大な影響力をふるってきたフランス哲学のディスクールは、健全なコミュニケーション的行為を歪める過剰なフィギュール性に満ち満ちていました。そこで彼はフィギュールに対決するディスクールの概念をもって、哲学思考の健全化をめざそうとしたのです。

あるインタヴューアーがその点を、ドゥルーズにこう問い質しました。

――あなた方は、哲学を概念の創造として定義することによって、哲学は《コミュニケーション》であろう、あるいは《コミュニケーション》であるべきであろう、といった考えを攻撃していることになります。ユルゲン・ハバーマスの近著や彼の《コミュニケーション的行為》の理論が、あなた方の主要な標的のひとつであるような印象をもちます。

この質問に、ドゥルーズはこう答えています。

——われわれとしては、ハバーマスにかぎらず、誰か特定の個人を攻撃しているわけではありません。それに、ハバーマスだけが哲学をコミュニケーションに結びつけようとしているのではありません。哲学はまず瞑想であると考えられました。そして、それはたとえばプロティノスの出現ですばらしい作品をもたらしました。それから、省察にすみ、カントが登場します。しかし、まさにこの二つの場合においていえるのは、まずもって瞑想とか省察といった概念を創造しなければならなかったということです。では、コミュニケーションが、妥当な概念つまり本当に批判的な概念規定を見いだしたかというと、われわれには確信がもてません。（『狂人の二つの体制1983—1995』宇野邦一他訳、河出書房新社、二〇〇四年）

ここに「瞑想」や「省察」といった「洞窟的概念」が登場してくるのは、私たちにとって大変に興味深いことです。あるいはこれを「反テラス的概念」と呼ぶこともできるかも知れません。哲学的思考が、何かの情報を伝達するという意味でのコミュニケーションの行為の中から発生してくることはありえないと考えています。ドゥルーズの考えでは、概念にせよなんにせよ、ひとつの「創造」がおこなわれるとき、そこには存在の諸層を横断する思考の運動がともなっているのでなければならず、そのとき思考は横断プロセスの中で、意味や情報とは異なる物質層や無意識層に嵌入《かんにゅう》していき、それらを貫いて表現にいたるとき、はじめて創造はもたらされるのです。その意味では、コミュニケーションという「テラス的概念」が、哲学的思考の本質をあらわすとは、とうてい考えられないことになります。

そのドゥルーズが『シネマ』という映画研究をおこなったことには、意味深長なものがあります。私たちは今日の話の中で、私たちホモサピエンスの「心」のトポロジーの内部に「洞窟＝映画的構造」が存在することをあきらかにしてきました。その構造は一次プロセス的ないし機械状無意識の働きに直結した活動をおこなっていますから、時間軸にそって強くコード化されたコミュニケーション的行為とは、別の種類の思考をおこないます。哲学的概念は、思考の横断プロセスそのものを内包していますから、ふつうの論理的思考の目から見ると、歪んだ「フィギュール」のように見えるかも知れません。ドゥルーズはそのような概念を創造しながら哲学をおこなってきた人ですから、それらの概念は本質において映画的である、ということもできると思います。

しかし、『カリガリからヒトラーへ』（クラカウアー著、丸尾定訳、みすず書房、一九七〇年）などというドイツ映画研究の本を読みますと、ハバーマスのような主張にも一理はある、と思わざるを得ません。一九一〇年代から二〇年代にかけて、ドイツの表現主義的映画の傑作群は、世界の映画作家たちに巨大な影響を及ぼし、それによってその後のアメリカ映画の文法まで変えた、とも言われています。こうしたドイツ表現主義の映画には、映画に内在する「洞窟性」が、見事なまでの表現の高さに持ち上げられています。

しかし、洞窟的実践の背後には、男性結社性が隠されています。そこは戦争機械の温床でもあるからです。それが政治権力を掌握していくとき、日常生活者の世界は根底から破壊されていくことになります。ナチズムの権力構造は映画的であると同時に、たぶんに洞窟結社的でありました。そのトラウマから戦後ドイツの哲学が立ち直っていくためには、「洞窟＝映画的構造」に対抗する「テラス構造的」なコミュニケーションの哲学に向かっていく必要があったのではないでしょうか。その意味では、ドゥルーズが映画に向かったのにたいして、ハバーマスはテレビに接近していったのだと思います。

私たちの思考のあらゆる領域に、「洞窟的＝映画的」なものと「テラス的＝テレビ的」なものとの、緊張をはらんだ関係は潜在しています。それを生み出すおおもとが、ホモサピエンスである私たちの「心」のトポロジー構造の中に実在しているからです。私たちに求められているのは、この二つの構造の間に、今日のテクノロジーとそれがもたらしつつある社会形態にふさわしい、真に新しい絶妙なバランスを再構築することではないでしょうか。

参考文献

・アンドレ・ジイド『贋金つくり／法王庁の抜け穴／地の糧　世界文学大系50』川口篤・岡部正孝訳、筑摩書房、一九六三年
・今村仁司『貨幣とは何だろうか』ちくま新書、一九九四年
・ジュリアン・ジェインズ『神々の沈黙——意識の誕生と文明の興亡』柴田裕之訳、紀伊國屋書店、二〇〇五年
・トリスタン・グレイ・ハルス『トリノの聖骸布——謎に包まれた至宝』五十嵐洋子訳、主婦と生活社、一九九八年
・カール・マルクス『資本論　（第一巻）』岡崎次郎訳、大月書店、二〇〇〇年
・クロード・レヴィ＝ストロース『仮面の道』山口昌男・渡辺守章訳、新潮社、一九七七年
・ジークフリート・クラカウアー『カリガリからヒトラーへ——ドイツ映画 一九一八～三三における集団心理の構造分析』丸尾定訳、みすず書房、一九七〇年
・ジル・ドゥルーズ『狂人の二つの体制　一九八三—一九九五』宇野邦一他訳、河出書房新社、二〇〇四年
・セルゲイ・エイゼンシュテイン『エイゼンシュテイン全集』（第九巻）エイゼンシュタイン全集刊行委員会訳、キネマ旬報社、一九九三年
・曾根有『テレビジョン』岩波全書、一九三四年
・ディック・キング＝スミス（原作）『ベイブ——小さな子ブタの大活躍』ロン・フォンテス、ジャスティン・コーマン文、小笠原雅美訳、文溪堂、一九九六年
・中沢新一「カイエ・ソバージュ」全五巻、講談社選書メチエ、二〇〇二年～二〇〇四年
『人類最古の哲学』（二〇〇二年）
『熊から王へ』（二〇〇二年）

『愛と経済のロゴス』（二〇〇三年）
『神の発明』（二〇〇三年）
『対称性人類学』（二〇〇四年）

・レイチェル・カーソン『沈黙の春』青樹簗一訳、新潮社、一九八七年
・レフ・トルストイ『にせ利札』（『トルストイ全集（第十巻）』所収）中村白葉訳、河出書房新社、一九七三年
・マーク・シェル『芸術と貨幣』小澤博訳、みすず書房、二〇〇四年
・マルセル・モース『贈与論』（『社会学と人類学1』所収）有地亨訳、弘文堂、一九七三年
・ルートヴィッヒ・アンドレアス・フォイエルバッハ『フォイエルバッハ全集（第九巻）キリスト教の本質（上）』船山信一訳、福村出版、一九七五年
・ルートヴィッヒ・アンドレアス・フォイエルバッハ『フォイエルバッハ全集（第十巻）キリスト教の本質（下）』船山信一訳、福村出版、一九七五年

・Barbara Moore, Marvin R. Bensman, Jim Van Dyke, *Prime-Time Television: A Concise History*, Praeger, 2006.
・David Lewis-Williams, *The Mind in the Cave*, Thames & Hudson, 2002.
・David Lewis-Williams & David Pearce, *Inside the Neolithic Mind: Consciousness, Cosmos, And the Realm of the Gods*, Thames & Hudson, 2005.
・Gilles Deleuze, *Cinéma, tome 1. L'Image-mouvement*, Editions de Minuit,1983.
・Gilles Deleuze, *Cinéma, tome 2. L'Image-temps*, Editions de Minuit,1985.
・Gerardo Reichel-Dolmatoff. *The Shaman and the Jaguar: A Study of Narcotic Drugs Among the Indians of Colombia*, Temple University Press, 1975.
・Jean-François Lyotard, *Discours, Figure*, Klincksieck, 1971.
・Sigfried Giedion, *The Eternal Present: The Beginnings of Art*, Oxford University Press,1962.

あとがき

多摩美術大学のなかに芸術人類学研究所（IAA＝Institute for Art Anthropology）が創設されて三年目を迎える春に、このIAA叢書は刊行を開始する。この研究所では、美と崇高の領域を、つまりは超越性の領域を組み込んだ、新しい人間科学の創出をめざしている。今日の脳科学の限界の彼方に拡がる、人類の心の可能性の全域に向かっての探究が、いま開始されたのである。そこからはほどなくして、真新しいイメージ論や、宗教や思想史の書きかえの試みや、現代の世界が求めている環境美学の創造や、暗黙知を蘇らせる未知の経済学などが、つぎつぎと生まれ出るだろう。それだけではなく、IAAはそこで練り上げられた思考の作物を、現実の大地に植え付け、現実を確実に変化させていく実践知であることをめざしている。

その新しい叢書の第一冊目として、私の『狩猟と編み籠』が出版されることには、感慨深いものがある。この本で私は、IAAの活動を背後で支えている対称性人類学の考えを展開させる試みをおこなった。「イメージの構造とその運動」をめぐるこの探究の中で、人類学、考古学、精神分析学、哲学、経済学、美学などの諸学問は、カレイドスコープのようにたがいの位置をたえまなく変換しあいながら、来るべき知的空間をかたちづくるべき新しい布置を模索しているのである。
中央大学とＩＡＡ青山分校における講義をもとにしているこの研究は、はじめ雑誌『群像』に発表された（二〇〇七年一月号、三月号、五月号、七月号、十一月号）。そのさいには『群像』編集部の須藤寿美さんのひとかたならぬご尽力をいただいた。講義の準備や図版の作製では深澤晃平さんの協力を得た。またＩＡＡ叢書の立ち上げそのものが、講談社学術文庫出版部の園部雅一さんの私心を滅したご努力によって可能になった。この叢書に深い理解をしめし暖かい支援を惜しまれなかった講談社学術文庫出版部長林辺光慶さんに、この場を借りてお礼を申し上げたい。

二〇〇八年五月三日

芸術人類学研究所所長　中沢新一

◎表紙（表１）
砂丘を駆け下りるオリックス（ゲムズボック）
©Jim Brandenburg / Minden Pictures / Nature Production

◎表紙（表４）
石川直樹『NEW DIMENSION』（赤々舎）より

◎扉
砂丘にいるオリックス（ゲムズボック）
©Jim Brandenburg / Minden Pictures / Nature Production

◎見返し
Basketry As Metaphor, Arts and Crafts of the Desana Indians of the Northwest Amazon,
Gerado Reichel Dolmatoff,
University of California University

中沢新一《なかざわしんいち》

1950年生まれ。東京大学大学院人文科学研究科修士課程修了。現在、多摩美術大学芸術人類学研究所所長。人類学者。

著書に『カイエ・ソバージュ全５巻』（講談社選書メチエ、『対称性人類学』で小林秀雄賞）、『アースダイバー』（講談社）、『ミクロコスモス』（四季社）、『緑の資本論』（集英社）、『チベットのモーツァルト』[サントリー学芸賞]『森のバロック』[読売文学賞]（ともに講談社学術文庫）、『哲学の東北』（青土社、斎藤緑雨賞）、『フィロソフィア・ヤポニカ』（集英社、伊藤整文学賞）など多数ある。

狩猟《しゅりょう》と編《あ》み籠《かご》　対称性人類学《たいしょうせいじんるいがく》 II

2008年5月28日　第1刷発行

著者　中沢新一《なかざわしんいち》

発行者　野間佐和子

発行所　株式会社 講談社

東京都文京区音羽 2-12-21

郵便番号 112-8001

電話　出版部　03-5395-3512

販売部　03-5395-3622

業務部　03-5395-3615

印刷所　図書印刷株式会社

製本所　大口製本印刷株式会社

装幀・レイアウト　小林春生（BOSCO Company Limited）

N.D.C.163　326p　20cm

ISBN978-4-06-214738-5

「芸術人類学（IAA）叢書」創刊

第一回配本

『狩猟と編み籠　対称性人類学II』中沢新一（既刊）

『シヴァとディオニュソス　自然とエロスの宗教』

アラン・ダニエルー　浅野卓夫・小野智司 訳（既刊）

以下刊行予定（仮タイトル）

『ヤポネシア群島へ』石川直樹

『伝神絵　イメージと記憶の人類学』港千尋

『北斎の青い眼』高山宏

『近代日本思想史』安藤礼二

『洞窟の中の心』デビッド・ルイス・ウィリアムス　石倉敏明 訳

『声・リズム・身振り』中沢新一